Bild Erlebnis Kunst

GAUGUIN

Farbkasten aus dem 19. Jahrhundert

Paris 1858

Mit Schnitzereien dekorierter Spazierstock

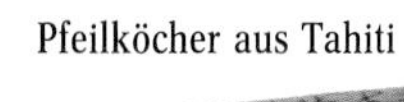

Pfeilköcher aus Tahiti

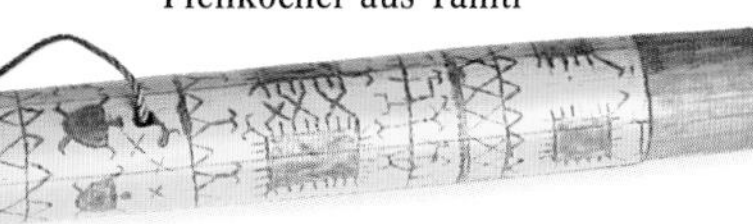

Geschnitzte Löffel

Arearea, 1892

Topf mit Gänsen

Zermahlene
Farbpigmente

Bild Erlebnis Kunst

GAUGUIN

Tahitische
Schnitzwerkzeuge

Michael Howard

Foto von Gauguin,
1893/94

Frau mit einer Blume, 1891

Selbstporträt
in Krugform

Ausstellungs-
katalog

Paul GAUGUIN

Geschnitztes Gefäß

Belser Verlag
STUTTGART
ZÜRICH

Idol mit Perle

Seite aus „Noa Noa“

Satirische Zeitung

Brief an Emile Schuffenecker

Büste Madame Schuffenecker

Ein Dorling Kindersley Buch

Die Deutsche Bibliothek – CIP-Einheitsaufnahme

Howard, Michael:
Gauguin / Michael Howard.
[Übers.: Andreas Schulz und
Christina Callori-Gehlsen] – Stuttgart; Zürich:
Belser, 1993
(Bild Erlebnis Kunst)
Einheitssacht.: Gauguin <dt.>
ISBN 3-7630-2105-1
NE: Gauguin, Paul

Übersetzung: Andreas Schulz und
Christina Callori-Gehlsen
Redaktion: Christoph Wetzel

Satz: C&S Publishing Service, Freiburg i. Br.
Reproduktionen: GRB Editrice s. r. l.
Druck: A. Mondadori Editore, Verona

Printed in Italy

ISBN 3-7630-2105-1

Mit bretonischen Szenen verzierte Vase

Studien aus dem bretonischen Skizzenbuch

Foto mit Südsee-Insulanern

Inhalt

Seid geheimnisvoll, Holzrelief

Die prägenden Jahre

GAUGUINS GROSSMUTTER
Flora Tristan war eine der ersten Feministinnen. Sie forderte das Recht auf Scheidung und gewerkschaftlichen Zusammenschluß.

PAUL GAUGUIN wurde 1848 als zweites Kind des radikalen republikanischen Journalisten Clovis Gauguin und seiner Frau Aline geboren. Wegen der politischen Betätigung des Vaters mußte die Familie 1849 ins Exil gehen, wo sie bei Verwandten in der peruanischen Hauptstadt Lima Aufnahme fand. Unterwegs, im chilenischen Port-Famine, erlag Clovis Gauguin einem Herzschlag. Die Witwe blieb mit ihren Kindern Paul und Marie vier Jahre in Lima. Wenn sich Gauguin später als „Wilder aus Peru" bezeichnet, spielt er damit auf die Eindrücke aus jener Zeit an. Im Alter von sieben Jahren war er wieder in Frankreich und ging in Orléans zur Schule. Später besuchte er die Marineschule in Paris und bereiste als Seemann die ganze Welt.

KINDHEIT IN LIMA
Die imposante Barockarchitektur in Lima, die farbenprächtigen Gewänder der Menschen und das starke Sonnenlicht gehörten zu den prägenden Kindheitserlebnissen Gauguins.

Das Leben als Seemann

Gauguins frühe Erinnerungen an seine exotische Heimat hinterließen in ihm einen tiefen Eindruck. Mit 17 Jahren trat er in die französische Handelsmarine ein und kam in den folgenden sechs Jahren in der ganzen Welt herum. Diese Rastlosigkeit prägte sein Leben auch später. Nirgends fand er wirklich Ruhe.

DER MARINESOLDAT
Gauguin verrichtete seinen Dienst auf der *Jérôme-Napoléon* (oben). Er ließ sich 1868 als Berufsseemann dritter Klasse eintragen. Seine Fahrten führten ihn durch den gesamten Mittelmeerraum und bis zum Polarkreis. Im Deutsch-Französischen Krieg war die *Jérôme-Napoléon* an Kämpfen beteiligt.

SEXTANT
Als Seemann wußte Gauguin, wie man mit einem Sextant umgeht. Mit diesem Instrument wurde der Standort eines Schiffes bestimmt. Es mißt die Höhe der Sonne über dem Horizont und erlaubt dadurch die Berechnung des Breitengrades (Position nördlicher oder südlicher Breite).

RÔLE POUR LE LONG COURS, LE CABOTAGE, LE BORNAGE ET LA GRANDE PÊCHE

ARMEMENT

ANNÉE 186

CONDITIONS GÉNÉRALES DE L'ENGAGEMENT

UM DIE GANZE WELT
Das erste Schiff, auf dem Gauguin anheuerte, war die *Luzitano.* In ihren Bordpapieren (rechts) erscheint der Name Gauguins neben denen anderer Seeleute. Zweimal führten ihn seine Fahrten nach Südamerika.

Ansicht von Paris im Jahre 1858; Gauguin war damals 10 Jahre alt.

PARISER BÖRSENMAKLER

1867 starb Gauguins Mutter. Danach übernahm sein Pate, der Bankier Gustave Arosa, die Sorge für ihn. 1871 verhalf er Gaugin zu einem sehr begehrten Posten bei einer Pariser Bank. Doch den größten Einfluß auf seinen Schützling übte Arosa durch seine umfangreiche Kunstsammlung aus, die auch Werke von Camille Pissarro und Eugène Delacroix umfaßte.

Paul Gauguin

GAUGUIN HEIRATET

Zwei Fotos aus dem Jahr 1873, in dem Gauguin Mette Gad heiratete. Mette (geb. 1850) stammte aus einer angesehenen dänischen Familie. Bereits damals war Gaugin ein begeisterter Freizeitmaler. Im Jahr seiner Hochzeit wurde erstmals eines seiner Bilder im „Salon" gezeigt.

Mette Gad

EINE WACHSENDE FAMILIE

Dieses Foto zeigt Mette mit zwei ihrer fünf Kinder. Als 1882 der Pariser Finanzmarkt von einer Krise erschüttert wurde, verlor Gauguin seine Arbeit, und das ruhige Leben der Familie in Paris fand ein Ende. Auf der Suche nach einer neuen Existenzgrundlage zog die Familie zunächst nach Rouen und dann nach Kopenhagen.

PERUANISCHE KERAMIK

Gauguins Mutter sammelte präkolumbische peruanische Keramik, die das Schaffen des Künstlers bis an sein Lebensende beeinflußte. Die Mutter hinterließ die Kunstsammlung ihrem Sohn. Sie machte sich Sorgen um ihn, da er wegen seiner schwierigen, kompromißlosen Art „vollkommen allein seinen Weg finden" mußte.

Frühe Werke

GAUGUIN WAR EIN leidenschaftlicher Kunstliebhaber und bemerkenswerter Freizeitmaler. Auch als Sammler impressionistischer Werke bewies er Geschick. Nach dem Börsenkrach von 1882 verwandelte sich der reiche Börsenmakler in einen Berufsmaler: Im Jahr darauf gab er seine Tätigkeit an der Börse auf. Zweifellos hatte ihn sein Erfolg auf der sechsten Gruppenausstellung der Impressionisten (1881) von der Möglichkeit überzeugt, als Avantgarde-Maler zu Reichtum und Ansehen gelangen zu können. Durch Camille Pissarro hatte er Zugang zum Kreis der Impressionisten gefunden, doch seine heftige Art und sein unverhüllter Ehrgeiz stießen bei seinen Maler-Gefährten auf Mißtrauen und Ablehnung.

Paul und Mette Gauguin in Kopenhagen

Schlittschuhläufer auf dem See Frederiksberg
1884; 65 x 54 cm; Kopenhagen, Ny Carlsberg Glyptotek.
Gauguins kurze Pinselstriche sind impressionistisch beeinflußt.

Büste Mette Gauguin
London, Courtauld Institute Galleries.
Diese 1879 entstandene Marmorbüste seiner Frau läßt Gauguins technische Meisterschaft erkennen, zeigt aber nur wenig von Mettes Persönlichkeit. Der Vergleich mit späteren Arbeiten verdeutlicht Gauguins radikale Abkehr von den herkömmlichen Techniken. Seine Entscheidung, Berufsmaler zu werden, führte schließlich zum Zusammenbruch seines Familienlebens. 1885 ließ er Mette und seine Kinder in Kopenhagen zurück. Die Familie lebte danach nie wieder zusammen.

Weiße Marmorbüste, in traditionellem Stil gearbeitet.

Die Côte des Boeufs der Hermitage
Camille Pissarro, 1877; 114 x 87,5 cm; London, National Gallery.
Gauguin war von Pissarros sorgfältig aufgebauten Gemälden beeindruckt. Er sammelte sie und ermutigte seine Kollegen an der Börse zum Kauf von Pissarros Bildern.

PISSARRO VON GAUGUIN; GAUGUIN VON PISSARRO
Dieses vertrauliche Doppelporträt bezeugt die Freundschaft der beiden Künstler. Pissarro führte Gauguin in die Maltechniken und die Arbeitsweise der Impressionisten ein. Später, als sich Gauguin vom Naturvorbild löste, nahm Pissarro ihm gegenüber eine kritische Haltung ein.

Gauguin zeichnete Pissarro mit Pastellstiften, Pissarro verwendete schwarze Kreide.

Aktstudie (Etude de nu)

1880; 114 x 79,5 cm; Kopenhagen, Ny Carlsberg Glyptotek.

Trotz des bescheidenen Titels handelt es sich um ein sehr anspruchsvolles Gemälde, das auf der sechsten Gruppenausstellung der Impressionisten 1881 gezeigt wurde. Der Schriftsteller und Kritiker Joris-Karl Huysmans lobte seinen frischen Realismus und sah in ihm die Wiederkehr des Genies eines Rembrandt.

HOLLÄNDISCHER EINFLUSS

Bei diesem Gemälde scheint sich Gauguin intensiv mit technischen Problemen auseinandergesetzt zu haben. Der Lichteinfall und die Anordnung der Gegenstände deuten auf die Beschäftigung mit dem Werk des holländischen Malers Jan Vermeer aus dem 17. Jahrhundert, der ebenfalls Menschen in ihrer häuslichen Umgebung dargestellt hat.

EIN NATÜRLICHER AKT

Gegenüber herkömmlichen Aktdarstellungen des 19. Jahrhunderts wirkt Gauguins schlichte Figur natürlich und ungeschönt. Vielleicht ließ er sich durch die in Pastell gemalten Akte von Degas inspirieren. In einer Zeit, als Frauen ihren Körper von Kopf bis Fuß bedeckten, hatten Gemälde wie dieses einen deutlich erotischen Charakter.

WÜRDE UND GEHEIMNIS

Gauguin malte auch später, in der Bretagne und auf Tahiti, zahlreiche Frauen. Wie schon bei diesem Akt stellte er sie passiv und in sich gekehrt dar. Gauguin zeigt keine aktive Teilnahme am Leben, sondern betont die geheimnisvolle Würde und Tiefe des inneren Wesens.

UNGEWÖHNLICHE REQUISITEN

Dieses Bild hält die Waage zwischen Natürlichkeit und Künstlichkeit. Es stellt eine nackte Frau bei einer alltäglichen Tätigkeit dar, umgeben von ungewöhnlichen Requisiten – einer Mandoline und einem bunten Wandteppich. Das Sticken diente möglicherweise als Beschäftigung für das Modell. Joris-Karl Huysmans betrachtete die Aktstudie als Bild, „das eindeutig den modernen Maler verrät". Gauguin habe den Versuch gewagt, „die Frau unserer Tage darzustellen. Er hat ein kühnes, ein wahres Bild geschaffen."

Flucht in die Bretagne

Ein Maler aus Pont-Aven kehrt von der harten Tagesarbeit zurück.

IN DEM BRETONISCHEN ORT PONT-AVEN, fern von Paris, begann Gauguin mit der Entwicklung seines bewußt schlichten, „primitiven“ Stils. Auf der achten und letzten Impressionisten-Ausstellung (1886) hatte er 19 Werke gezeigt, doch seine Bilder im Stil Pissarros standen im Schatten der kühlen, eleganten Gemälde des jungen Georges Seurat. Als er im Juli 1886 erstmals in die Bretagne reiste, war er auf der Suche nach einem möglichst billigen Leben in einer angenehmen Umgebung, in der er fern von dem hektischen, geschäftigen Paris seine künstlerische Identität finden konnte. In dieser Beziehung war er nur einer von vielen Malern, die jeden Sommer in die abgelegenen Gegenden der Bretagne kamen, wo sie reizvolle Landschaftsmotive und auch Frauen und Männer fanden, die es gewohnt waren, den Künstlern Modell zu sitzen.

KÜNSTLER UND MODELLE
Diese Zeichnungen einer bretonischen Frau und eines Absinth trinkenden Künstlers stammen aus Gauguins bretonischem Skizzenbuch. Sie zeigen die beiden Seiten des Lebens von Pont-Aven. Gauguin thematisiert in seinen Bretagne-Bildern immer wieder die starke Religiosität und die malerischen Trachten der bretonischen Frauen. Der skizzierte Künstler ist ein für Gauguin ungewöhnliches Motiv, das in seinen Bildern nicht vorkommt.

MALEN IM FREIEN
Diese Karikatur aus einer beliebten zeitgenössischen Zeitschrift nimmt die Landschaftsmalerei aufs Korn, die sich nach 1880 zu einer der beliebtesten und lukrativsten Bildgattungen entwickelt hatte. Ganz unterschiedlich begabte Künstler versammelten sich in der Bretagne, und Gauguin lebte sich schnell in der Künstlergemeinde von Pont-Aven ein. „Ich werde respektiert, und jeder hier (Amerikaner, Engländer, Schweden, Franzosen) wünscht meinen Rat“, schrieb er stolz an Mette.

DIE PENSION GLOANEC
Gauguin lebte von dem Darlehen eines Verwandten, des Bankiers Eugène Mirtil. Das Leben in der Bretagne war sehr billig. Gauguin wohnte in der ausgesprochen preiswerten Pension Gloanec. Auf diesem Foto, das vor der Pension aufgenommen wurde, ist Gauguin nicht vertreten. Offensichtlich war die Pension ein beliebter Künstlertreffpunkt.

Diese bretonische Figur ist auch auf Gemälden und Zeichnungen Gauguins zu erkennen.

Jardinière
Genf, Musée du Petit Palais.
Gauguin war ein hervorragender Bildhauer. Seine Plastiken hatten für ihn dieselbe Bedeutung wie seine Bilder. Er hoffte, durch den Verkauf von dekorativen und praktischen Keramiken ein regelmäßiges Einkommen zu finden. Diese Keramik ist eine von zwei *Jardinières*, die er nach seiner Rückkehr nach Paris im Atelier des Keramikers Ernest Chaplet anfertigte.

Krug mit Frauen
Tahiti, Musée Gauguin.
Dieses reizvolle Motiv erscheint oft auf Gauguins Keramiken. Seine „keramischen Skulpturen", wie er sie nannte, reichen von konventionellen Arbeiten bis zu vollkommen der Phantasie entsprungenen Werken.

Arbeit mit Ton

Im Gegensatz zu vielen anderen Töpfern bearbeitete Gauguin den Ton mit der Hand ohne Verwendung der Töpferscheibe. Möglicherweise improvisierte er die Form der Keramik während der Arbeit.

Topf mit Gänsen
Tahiti, Musée Gauguin.
Die Keramik zeigt eine Bretonin in einem Ring. Über ihr befinden sich zwei Gänse, ein beliebtes Motiv des Künstlers. Gauguin entwarf gern dekorative Objekte.

Fischfangszene
Paris, Musée d'Orsay. Das Motiv auf diesem Krug ist nicht bretonisch. Vielleicht geht es auf Werke englischer Illustratoren zurück, die Gauguin sehr bewunderte.

LÄNDLICHE TRACHTEN
Viele bretonische Frauen trugen noch traditionelle Trachten, insbesondere zu religiösen Anlässen. Gauguin bediente sich in seinen Gemälden eines „primitiven" Stils, um damit die verbreitete Ansicht zu betonen, die Landbevölkerung sei eine tief religiöse und archaische Gesellschaft.

AUF DEM LANDE
Der zentralistische Charakter der französischen Gesellschaft und das vornehme Pariser Leben führten dazu, daß das städtische Publikum eine stark idealisierte Vorstellung vom ländlichen Leben entwickelte. Gemälde wie dieses boten das nostalgische Bild einer von Passivität geprägten Gesellschaft, die in Wirklichkeit sehr komplex und lebendig war.

Reproduktion eines beliebten bretonischen Bildes.

Bäuerliches Leben

„ICH LIEBE DIE BRETAGNE, hier finde ich etwas Wildes, Primitives. Wenn meine Holzschuhe auf dem granitenen Boden widerhallen, vernehme ich jenen matten gedämpften Ton, den ich in der Malerei anstrebe." Als Gauguin später über seine Zeit in der Bretagne schrieb, war ihm bewußt, daß sie mit ihrer ländlich-einfachen Kultur und ihren Bewohnern eine große Bedeutung für seine Suche nach einem einfachen Stil gehabt hatte. Wie viele seiner Zeitgenossen wählte Gauguin seine Motive so, daß das Bild eines idyllischen, zeitlos beständigen Landlebens erhalten blieb. In der *Bretonischen Schäferin* versuchte er neue künstlerische Wege, doch noch immer weist sein Stil deutliche Anleihen beim Impressionismus und Neoimpressionismus auf. Gauguin bemühte sich jedoch, seine Selbständigkeit zu wahren und war aus Paris geflohen, da er auf keinen Fall in den Bann des „jungen Chemikers" Georges Seurat gelangen wollte. Trotz einer Einladung weigerte er sich, auf dem „Salon der Unabhängigen" im August 1886 auszustellen, der von Paul Signac und Camille Pissarro – Gauguins ehemaligem Mentor und Freund – veranstaltet wurde. Signac und Pissarro hatten sich Seurat und dem Pointillismus angeschlossen.

Studien eines jungen Schafhirten aus Gauguins bretonischem Skizzenbuch.

Diese Vase wurde vermutlich von Chaplet geformt.

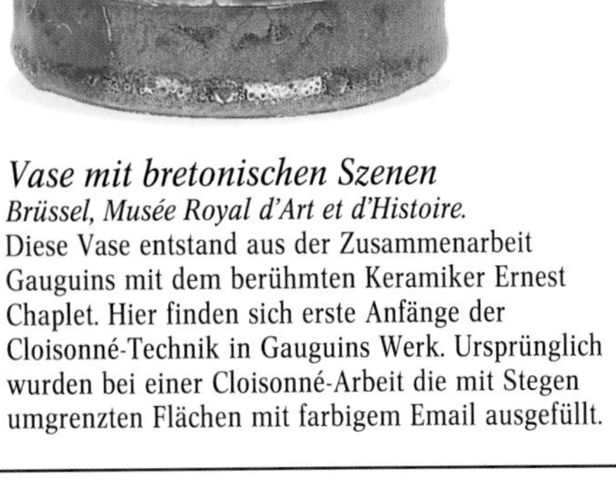

Vase mit bretonischen Szenen
Brüssel, Musée Royal d'Art et d'Histoire.
Diese Vase entstand aus der Zusammenarbeit Gauguins mit dem berühmten Keramiker Ernest Chaplet. Hier finden sich erste Anfänge der Cloisonné-Technik in Gauguins Werk. Ursprünglich wurden bei einer Cloisonné-Arbeit die mit Stegen umgrenzten Flächen mit farbigem Email ausgefüllt.

STUDIE FÜR EIN BILD
Diese kräftige Gestalt entstand als Studie für das Gemälde *Vier bretonische Frauen beim Tanz* (1886; München). Sie begegnet uns auch auf der Vase (links außen). Die Pastellfarben erinnern an die von Pissarro in den 80er Jahren gemalten Bäuerinnen, doch die ausgeprägten Umrißlinien verweisen bereits auf den sich herausbildenden eigenen Stil Gauguins. Jede Region der Bretagne hatte ihre eigenen Trachten, deren dekorativen Reichtum sich der Künstler zunutze machte. Ein typisches Merkmal der Tracht von Pont-Aven waren die asymmetrisch angeordneten Flügel der Haube, wie sie Gauguin hier darstellt.

DIE SZENERIE
Die hohe Horizontlinie schließt das bretonische Mädchen in den idyllischen Landschaftsrahmen ein. Obwohl Gauguin den Impressionismus und den stärker wissenschaftlich orientierten Neoimpressionismus ablehnte, ist deren Einfluß auf seinen Stil hier unverkennbar. Die tupfenartige Pinselführung und die zarten Farben verweisen auf die Bilder Pissarros (S. 8).

FIGUREN IN DER LANDSCHAFT
Mädchen, Frauen und Tiere sind immer wiederkehrende Themen in Gauguins Kunst. Hier haben sie noch nicht jene tiefe symbolische Bedeutung wie in seinen späteren Bildern (S. 46–47).

Schafe aus dem bretonischen Skizzenbuch

TAGTRÄUMEREI
Die junge Schäferin ist kaum typisch für das bäuerliche Leben. Nie würde sie ihre beste Sonntagskleidung beim Viehhüten tragen. Gauguin zeigt sie nicht bei der Arbeit, sondern in Gedanken verloren.

Die bretonische Schäferin
1886; 60,5 x 73 cm; Newcastle-upon-Tyne, Laing Art Gallery. Den künstlerischen Gepflogenheiten seiner Zeit entsprechend bietet Gauguin eine idealisierte Ansicht des ländlichen Lebens. Er malte die Landschaft vermutlich nach der Natur und ergänzte die Figuren im Atelier. Möglicherweise ist dies der Grund für die kompositorischen Mängel des Bildes. Die Pose der Schäferin erinnert an Zeichnungen von Edgar Degas, dessen Figuren jedoch meist im städtischen Milieu heimisch sind.

AQUARELL-SKIZZE
Diese Studie für das obige Bild ist mit Kohlestift und Aquarellfarben ausgeführt. Mit Aquarellfarben läßt sich im Freien wesentlich besser arbeiten als mit Ölfarben. Sie eignen sich auch für Skizzen, da sie sehr schnell trocknen. Vermutlich entstand diese Studie im Freien.

Panama und Martinique

Die Reise über Martinique nach Panama dauerte fast drei Wochen.

Martinique

Panama

„AM MEISTEN SEHNE ich mich danach, aus Paris zu entkommen, das für einen armen Mann eine Wüste ist ... Ich bin nach Panama gegangen, um dort das Leben eines Wilden zu führen." Nach einem deprimierenden Winter in Paris, in dessen Verlauf er kein einziges Bild verkaufte und als Plakatkleber arbeitete, beschloß Gauguin halb verhungert, Paris zu verlassen. Am 10. April 1887 machte er sich gemeinsam mit dem jungen Maler Charles Laval auf die Reise nach Panama. Dort wimmelte es aber schon von Abenteurern, die beim Bau des Panamakanals ihr Glück suchten. Die beiden Maler hatten auf Hilfe von Gauguins Schwager gehofft, der dazu jedoch nicht bereit war. Bald ging ihnen das Geld aus, und in der Not malte Laval Porträts von reichen Siedlern, während sich Gauguin von der Kanalbaugesellschaft als Arbeiter anstellen ließ. Er wurde jedoch schon nach 15 Tagen wieder entlassen. Im Juli hatten die Künstler Panama bereits verlassen und lebten in einer kleinen Hütte auf der herrlichen Karibikinsel Martinique, nicht weit von der Bucht von Saint Pierre entfernt. Beide waren schwer an Ruhr und Malaria erkrankt.

SCHWIERIGE LANDVERMESSSUNG
Die französischen Kanalbauer mußten im Sumpfgelände und in ungesundem Klima arbeiteten. Gelbfieber, Ruhr und Malaria suchten die Gegend heim. Der rettende Hafen, auf den Gauguin gehofft hatte, erwies sich als Brutstätte von Krankheiten und als finanzielle Katastrophe.

DER PANAMAKANAL
Der Panamakanal – eine der größten Ingenieurleistungen der Neuzeit – verbindet den Atlantischen und den Pazifischen Ozean. 1887 begann eine französische Gesellschaft mit dem Bau des Kanals. Das Unternehmen ging 1889 bankrott. Schließlich gelang es einer amerikanischen Gesellschaft mit Hilfe von Dynamit und unter Einsatz modernster Technologien, den Bau zu Ende zu führen. Erst 1914 wurde der Kanal für den Schiffsverkehr geöffnet.

Landschaft auf Martinique
Studie zu einem Fächer, 1887; 19,5 x 42 cm, Gouache; Paris, Galerie Malingue. Bemalte Fächer waren eine beliebte japanische Kunstform. Angeregt durch die gestalterischen Möglichkeiten hatte Edgar Degas 1869 mit dem Entwurf eigener Fächer begonnen. Viele Impressionisten griffen diese Idee auf. Für Degas, Pissarro und Gauguin bot die Fächerform einen willkommenen Anlaß zu kompositionellen Neuerungen. Gauguin verwendete Elemente aus seinen Gemälden und gestaltete sie auf den Fächern sehr viel freier. Er war bestrebt, dekorative, gut verkäufliche Objekte zu schaffen.

Gauguin bemalte ca. 30 Fächer. Viele verschenkte er an Freunde.

224 L'ILLUSTRATION, JOURNAL UNIVERSEL.

Visite

DAS OFFIZIELLE BILD
Fotos und sonstige Bildberichte hatten einen maßgeblichen Einfluß auf die Einstellung Europas gegenüber der restlichen Welt. Diese Seite aus der französischen Zeitschrift „L'Illustration" bietet ein geschöntes Bild der Kolonie. Sie berichtet von dem Besuch Prinz Alberts von England in dem berühmten Botanischen Garten von Saint Pierre. Diese „offiziellen" Darstellungen stehen in krassem Gegensatz zu Gauguins Interesse am Leben der Eingeborenen.

DIE BUCHT VON SAINT PIERRE
Die steilen Klippen und hügelige Landschaft boten viele Motive für Landschaftsmaler. Auf dem vulkanischen Boden und im tropischen Klima wuchs eine üppige Vegetation. 15 Jahre nach Gauguins Inselbesuch brach der Vulkan der Insel, Mont Pelée, aus. Die Stadt Saint Pierre wurde bei dem Ausbruch zerstört, und über 30 000 Einwohner starben.

Auf Martinique gehören Affen nicht zur ursprünglichen Tierwelt.

Holzrelief aus Martinique
Kopenhagen, Ny Carlsberg Glyptotek.
Die gedrängte Fülle erinnert an volkstümliche bretonische Arbeiten (siehe S. 34), läßt sich aber auch in japanischen Schnitzereien nachweisen. Die schwere, fast schwülstige Atmosphäre weckt den Gedanken an sexuelle Freiheit. Die Arbeit entstand wahrscheinlich 1889 in der Bretagne.

Die Figuren werden vom Rand der Fächerform abgeschnitten.

DIE ARBEIT IM FREIEN
Gauguin schrieb: „Ich nehme Farben und Pinsel mit und werde fernab von Menschen in die Natur eintauchen." Das Aufkommen von tragbaren Staffeleien und Tuben mit bereits gemischten Farben bedeutete eine erhebliche Erleichterung für das Malen im Freien.

Studienstaffelei aus einem Katalog für Künstlerbedarf

Die Ernte

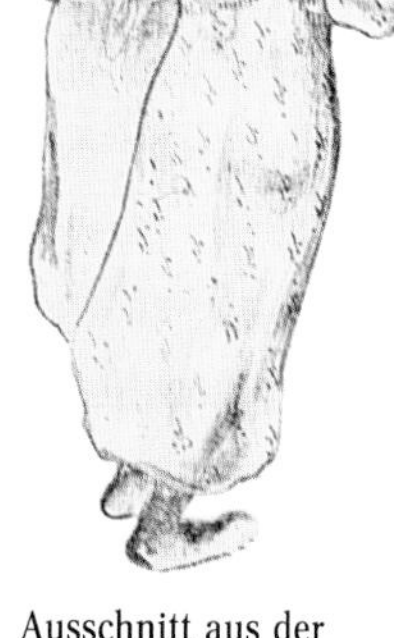

Ausschnitt aus der Zinkographie *Martinique Pastoral*

GAUGUIN MALTE auf Martinique nur wenige Bilder, doch für seine Entwicklung als Maler einer exotischen Welt waren seine Erfahrungen hier sehr wichtig. Er war über Panama nach Martinique gereist, um wieder Kraft und Inspiration zu finden. Gauguin hatte aber auch Geschäftssinn genug, um darauf zu spekulieren, daß seine tropischen Szenen aus Martinique für den übersättigten Pariser Kunstmarkt ungewohnt und daher reizvoll sein würden.

Szene aus Martinique
Charles Laval, 1887; weitere Angaben fehlen.
In diesem Bild des Reisegefährten Gauguins ist dessen Einfluß deutlich erkennbar. Der dekorative Stil und die dünn aufgetragenen Farben erinnern stark an Gauguin. Die bizarre Komposition scheint das exotische Motiv noch zu steigern.

FARBKASTEN
Dieser Farbkasten aus dem 19. Jahrhundert zeigt die damals erhältliche Farbpalette. Es kam eine Vielzahl von Farben auf den Markt, die billiger waren und sich besser zum Malen eigneten als die früheren. Gauguin fehlte oftmals das Geld zum Kauf von Farben und Malutensilien.

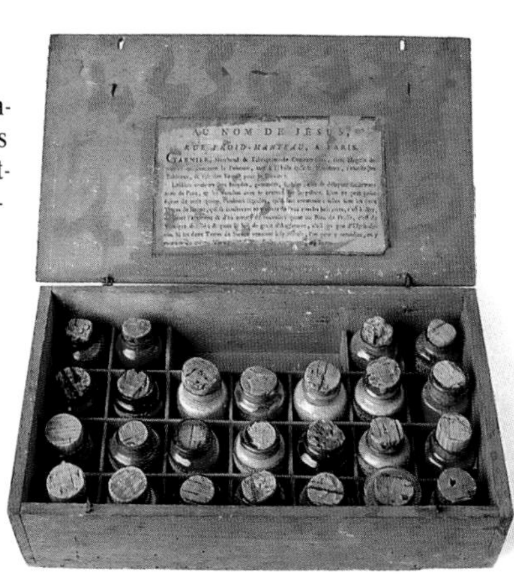

Unter den Mangobäumen auf Martinique
1887; 89 x 116 cm; Amsterdam, Rijksmuseum Vincent van Gogh.
Dieses Bild bietet einen Vorgeschmack auf die großen dekorativen Tahiti-Bilder. Gauguin zeigte kein Interesse an den Kolonialisten, sondern malte die Kreolenfrauen in ihren wallenden Gewändern und bunten Kopfbedeckungen.

HOHER HORIZONT
Gauguin schwächte in seinen Bildern häufig durch hohe Horizontlinien den Eindruck von räumlicher Tiefe ab. In diesem Bild begann er, mit großen einheitlichen Farbflächen zu experimentieren, wobei ein Großteil der Farbe offensichtlich in einzelnen Pinselstrichen aufgetragen ist.

FARBIGE RHYTHMEN
Gauguin war von der Anmut der Frauen fasziniert: „Am bezaubernsten finde ich die Menschen, und täglich herrscht ein ständiges Kommen und Gehen schwarzer Frauen in all ihrer farbenfrohen Pracht, die eine unendliche Vielfalt an anmutigen Bewegungen zeigen ... ihre Lasten tragen sie auf den Köpfen."

SICHERHEIT DER KOMPOSITION
Die üppigen Formen der Frauen und ihre sichere Anordnung auf der Leinwand machen dieses Bild zu einem der anspruchvollsten frühen Werke. Die Kleider der Frauen im Vordergund sind sorgfältig und detailliert ausgearbeitet.

EIN BRIEF
In einem erstaunlich offenen Brief an seine Frau äußert sich Gauguin begeistert über die sexuelle Freiheit auf der Insel: „Hier mangelt es nicht an Potiphars Frauen. Nahezu alle sind dunkelhäutig, die Hautfarbe reicht von schwärzestem Ebenholz bis zum matten Weiß der Maori ... und sie gehen so weit, daß sie die Frucht, die sie einem schenken, als Liebeszauber verwenden."

DER AGENT DES KÜNSTLERS
Theo und Vincent van Gogh waren von Gauguins Martinique-Bildern beeindruckt. Dieses Bild, in dem sie einen mutigen Angriff auf den impressionistischen Malstil sahen, gefiel ihnen besonders, und Theo kaufte es für seine Privatsammlung. Theo van Gogh war Kunsthändler, und seine Hilfe erwies sich für Gauguin als sehr wichtig.

GEBURT EINES MEISTERS
Octave Mirbeau, ein einflußreicher Kritiker, schätzte die Martinique-Bilder sehr; 1891 schrieb er: „Die Serie von Bildern, die er mit zurückbrachte, ist eindrucksvoll und streng. Hier hat er endgültig seine ganze Persönlichkeit zur Entfaltung gebracht ... Von jetzt an zählt Gauguin zu den Meistern."

Tropische Landschaft

DIE ÜPPIGE LANDSCHAFT der Bucht von Saint Pierre wurde häufig auf zeitgenössischen Postkarten und Illustrationen abgebildet. Aus Martinique stammten auch viele exotische Pflanzen in den Parks und Gartenanlagen Frankreichs. Auf seinem Gemälde *Tropische Vegetation* veränderte Gauguin die Ansicht, die sich von einem Hügel aus bot: In Wirklichkeit war die Stadt Saint Pierre von hier deutlich zu sehen. Gauguin vernachlässigte die Stadt und alles andere, das die dekorative Qualität des Bildes gemindert hätte. Selbst die beiden Hütten heben sich kaum von ihrer Umgebung ab.
Die feinen, rhythmisch verlaufenden Pinselstriche, die leuchtenden Farben und die gedämpften Schatten lassen einen harmonischen Gesamteindruck, eine Vision des wiedererlangten Paradieses entstehen.

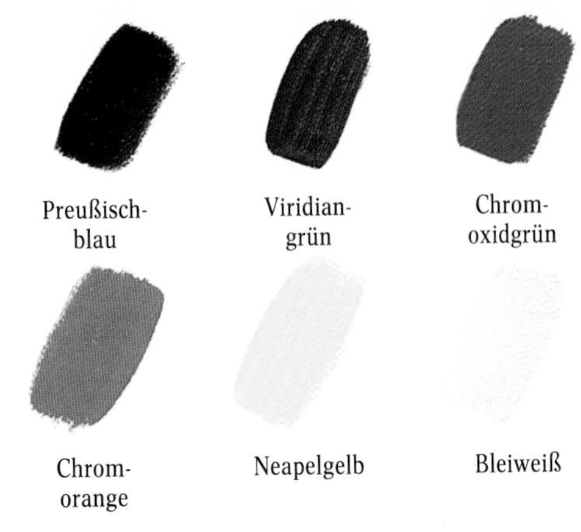

DIE FARBPALETTE DES KÜNSTLERS
Gauguin malte auf der dünnen gelbbraunen Grundierung die Umrißlinien in verdünntem Preußischblau. Die Flächen füllte er mit breiten Pinselstrichen aus.

Tropische Vegetation
1987; 116 x 89 cm; Edinburgh, National Galleries of Scotland.
Beim Anblick der Martinique-Bilder Gauguins wird seine Äußerung verständlich, er habe die rasche, spontane Pinselführung der impressionistischen Malerei weiterentwickelt, um den Effekt eines Bildteppichs zu erzielen. Die Insel bot einem Landschaftsmaler viele idyllische Winkel, wie Gauguin in einem Brief an seinen Freund Emile Schuffenecker schrieb: „Unter uns die See ... und zu beiden Seiten stehen Kokospalmen, die sich hervorragend für die Landschaftsmalerei eignen." Der Kritiker Octave Mirbeau sprach unter dem Eindruck der Bilder von der „göttlichen, paradisischen Üppigkeit dieser Dschungelszenen".

SPANNVORRICHTUNG DER LEINWAND
Diese grob gezimmerte Spannvorrichtung aus Buchsbaum fertigte Gauguin selbst an. Ungewöhnlich für ihn ist die feine, regelmäßig gewebte Leinwand, die im Handel erhältlich war.

FRÜCHTE UND LAUB
Ein Papayabaum ragt hoch in den Himmel auf. In seinen Blättern und Früchten werden die feinen Grün- und Orangetöne wieder aufgenommen, die sich überall im Bild finden. Von Cézanne übernahm Gauguin die Verwendung reiner Farben, um einen Eindruck von Spontaneität und Bewegtheit zu erzielen.

Im flächig gemalten Laubwerk verliert sich der Eindruck von Räumlichkeit.

MEHRDEUTIGER RAUM
Verborgen unter dem Laubwerk liegen zwei Hütten, die den Betrachter über die räumlichen und perspektivischen Verhältnisse des Bildes im Unklaren lassen. In der unteren Ecke dieses Ausschnitts erscheint das Dach der einen Hütte.

DER LORBEERBUSCH
Die Blüten treten durch den Gegensatz von hellen und dunklen Pinselstrichen deutlich hervor. In diesem dekorativen Landschaftsbild gehören die Blumen zu den wenigen sorgfältig ausgearbeiteten Details.

Einfache Pinselstriche in Zinnoberrot lassen den Hahn aus dem umgebenden Laubwerk hervortreten.

EIN TIER
Bei genauerer Betrachtung des Bildes entdeckt man, halb verdeckt durch einen Lorbeerbusch, einen Hahn. Inmitten der wild wuchernden Pflanzen, die den Eindruck von drückender tropischer Hitze vermitteln, erlaubt der Hahn eine Einschätzung der Größenverhältnisse auf dem Bild.

Es sind noch Spuren der blauen Umrißlinie erkennbar.

ABSTRAKTE WIRKUNG
Einige Pinselzüge haben eine absichtlich anmutende Mehrdeutigkeit. Im Ausschnitt links befinden sich scheinbar Gauguins Signatur und die Jahreszahl, doch die Zeichen sind nicht klar zu erkennen. Die flüchtig aufgetragenen Pinselstriche und die abstrakten Formen stehen in betontem Gegensatz zu den sorgfältig bearbeiteten Bildbereichen.

Die Künstler in Pont-Aven

EIN FAMILIENFOTO
Nachdem sich Gauguin für den Beruf des Künstlers entschieden hatte, war der Kontakt zu seiner Familie fast völlig abgebrochen. Dies ist eine seltene Aufnahme Gauguins (er trägt einen bretonischen Kragen) mit seinen Kindern Aline und Emil.

ANFANG FEBRUAR 1888 war Gauguin erneut in der Bretagne und wohnte in der Pension Gloanec. Durch die Unterstützung Theo van Goghs hatte er neues Vertrauen in seine Arbeit gefaßt. Er brauche nur noch, so schrieb er, eine „äußerste Anstrengung“ zu vollbringen. Seine jüngsten Erfahrungen auf Martinique hatten seinen malerischen Horizont erweitert. Jetzt konnte er eine ursprünglichere und weniger pittoreske Interpretation der bretonischen Landschaft entwickeln. Er schrieb, eines seiner Bretagne-Bilder sei „vollkommen japanisch, von einem Wilden aus Peru“. Der Künstler war jetzt vierzig Jahre alt, sein Familienleben zerstört und sein künstlerischer Ruf noch nicht gefestigt. Zudem litt er an Ruhr und an den Folgen von übermäßigem Absinthgenuß.

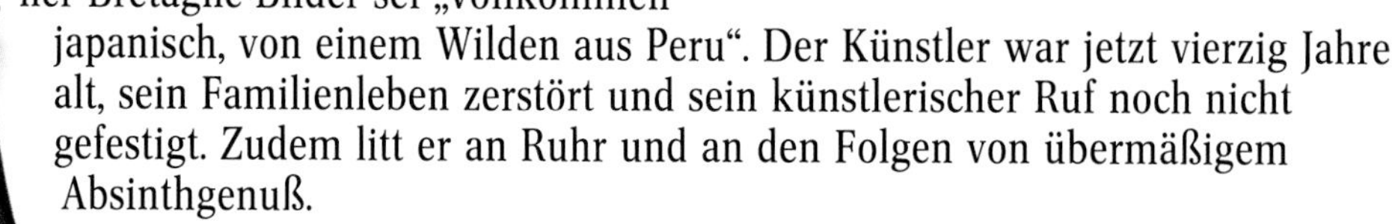

BRETONISCHE WESTE
Gauguin war stets auf sein gepflegtes Äußeres stolz. Auf zahlreichen Fotos (oben rechts) trägt er einen fein gearbeiteten bretonischen Kragen, der, wie es scheint, auf eine Kordjacke genäht war. Nicht nur die Möbelschnitzerei (S. 34) hatte in der Bretagne eine lange Tradition, sondern auch die Verzierung der Kleidung.

Bretonische Frauen am Zaun
Gauguin wollte nicht das bäuerliche Leben wiedergeben, sondern etwas Neues schaffen. In einfachen Zinkographien wie dieser spielte er mit dem stilistischen Effekt der schwarzen geschwungenen Umrißlinien.

DIE KÜNSTLERGEMEINDE
Dieser Blick auf Pont-Aven zeigt eine ruhige Kleinstadt in einem bewaldeten Tal. Der dicht am Meer gelegene Ort besaß einen kleinen Hafen und mehrere Wassermühlen.

EIN BEWUNDERER
Als der junge Emile Bernard im August 1888 nach Pont-Aven kam, schrieb er an Vincent van Gogh: „[Gauguin] ist ein so großer Künstler, daß ich fast Angst vor ihm habe.“

Das Fenster von Gauguins Atelier.

Seelandschaft mit Kuh
1888; 73 x 60 cm; Paris, Musée des Arts Décoratifs. Gauguin arbeitete hier mit großen Farbflächen, die von dunklen Umrißlinien eingefaßt sind. Die Vogelperspektive erinnert an japanische Drucke. Eine gleichsam erdgebundene Kuh erscheint im Vordergrund, während sich am oberen Bildrand ein Schiff den Weg durchs Wasser bahnt.

Maler des Abstrakten

Im August 1888 fanden sich Charles Laval, Paul Sérusier, Emile Bernard und Gauguin in Pont-Aven zusammen, wo sie das Prinzip „Kunst ist Abstraktion“ weiterentwickelten, das Gauguin in einem Brief an Vincent van Gogh formuliert hatte.

Der Talisman
Paul Sérusier, 1888; 27 x 21 cm; Paris, Musée d'Orsay. Diese Skizze des Bois d'Amour in Pont-Aven entstand während einer schriftlich dokumentierten Malstunde. Sérusier malte das Bild auf eine Holztafel, während Gauguin ihm Anleitungen gab: „Wie siehst Du diese Bäume? Sie sind gelb. Gut, also trage Gelb auf. Und dieser Schatten ist eher blau. Also gib ihn mit reinem Ultramarin wieder.“ Der Titel verweist auf die magische Bedeutung dieses Bildes für die jungen Künstler in Pont-Aven.

Bretonische Studie
Emile Bernard, um 1888; 81 x 54 cm; Quimper, Musée des Beaux Arts. Wie Gauguin war auch Bernard um eine schlichte Malweise bemüht. Sein Interesse an japanischen Drucken, Glasmalerei und mittelalterlicher Kunst führte ihn zu einem Stil mit klaren Farben, einfachen Formen und ausgeprägten Konturlinien. Gauguin übernahm Bernards Cloisonné-Stil und entwickelte ihn weiter.

Badende in Asnières
Georges Seurat, 1883-84; 201 x 300 cm; London, National Gallery. Ganz Paris war von den Bildern Seurats begeistert. Doch Gauguin konnte mit Seurat und dessen „wissenschaftlicher“ Malweise nichts anfangen. Seurat stellte die neuen Freizeitvergnügungen der Pariser Arbeiter dar. Gauguin dagegen konzentrierte sich auf ländliche Themen.

Eine neue Sicht

JAPANISCHER EINFLUSS
Dieser Holzschnitt von Hiroshige inspirierte Gauguin zu dem Baum, der durch sein Bild verläuft.

„DIESES JAHR habe ich alles für den Stil geopfert – Technik und Farbe –, da ich mich zwingen wollte, etwas anderes zu tun als das, was ich bereits kann“, schrieb Gauguin kurz nach der Fertigstellung der *Vision nach der Predigt.* Dieses Bild kennzeichnet seinen endgültigen Bruch mit den Impressionisten und steht am Beginn eines neuen Stils, des Symbolismus. Gauguin wollte den inneren Gehalt des Motivs zum Ausdruck bringen und nicht die äußere Realität darstellen, wie es die Impressionisten versuchten. Zu diesem Zweck vereinfachte er Farbgebung und Linienführung. Der Künstler bot *Die Vision nach der Predigt* der Kirche von Nizon an, denn er hatte das Gefühl, dort sei das Bild am besten aufgehoben, umgeben von „kahlem Stein und bunten Glasfenstern ... in einem Salon wäre es fehl am Platz“. Sein Angebot wurde brüsk abgelehnt.

BRIEF AN VAN GOGH
In diesem Brief an van Gogh findet sich die erste Skizze zu einem Bild mit dem Titel *Zwei miteinander kämpfende Knaben*, das Gauguin einen Monat vor der *Vision nach der Predigt* fertigstellte. Ringen war ein beliebter Sport in der Bretagne. Auch Degas griff das Motiv in seinen Bildern auf. Gauguin sagt von sich in diesem Brief, er sehe „mit den Augen eines peruanischen Wilden“. Sein Bemühen um Abkehr von der Wiedergabe realer Eindrücke ist deutlich erkennbar.

KÄMPFENDE RINGER
Die Werke des Japaners Hokusai waren den französischen Malern bekannt; die Ringer (links) stammen aus einer Serie von Studien. Hokusai vermochte Bewegung und Kraft sinnfällig wiederzugeben; auch Gauguins Ringer haben etwas von der Dynamik seiner Figuren.

Die Vision nach der Predigt
1888; 37 x 92 cm; Edinburgh, National Galleries of Scotland.
Beim Verlassen der Kirche, noch ganz unter dem Eindruck der Predigt, hat eine Gruppe frommer Frauen die Vision Jakobs, der mit einem Engel ringt. Dieses Gemälde, dessen Thematik sich auf eine Stelle aus dem Buch Genesis (32,23–31) stützt, ist das erste Bild Gauguins mit religiösem Inhalt. Bei der Ausstellung des Bildes 1889 warf man dem Künstler vor, er habe bewußt einen Skandal provozieren wollen.

ZWEI BRETONISCHE FRAUEN
Die reich verzierten Hauben sind ein wichtiger und sehr dekorativer Bestandteil ihrer traditionellen Tracht.

EINE SKIZZE
Diese Skizze stammt aus einem Brief an van Gogh vom September 1888. Gauguin zählt die Farben auf, die er für das Bild verwendet: „Ultramarinblau, Flaschengrün, Nummer Eins Chromgelb; Nummer Zwei Chrom, die Haare des Engels; die Füße, fleischfarben orange."

DER KAMPF AUS DER SICHT DES KÜNSTLERS
Gauguin interpretiert den auf dem Gemälde dargestellten Kampf: „Für mich existieren die Landschaft und der Kampf in diesem Bild nur in der Phantasie der Menschen, die nach der Predigt beten; daher besteht ein Gegensatz zwischen den Menschen, die wirklich sind, und dem Kampf, der sich in einer Landschaft abspielt, die unwirklich ist und deren Proportionen nicht stimmen."

EINE MYSTISCHE LANDSCHAFT
Um den mystischen Charakter des Geschehens zu betonen, bedient sich Gauguin eines einfachen Mittels: Das Gras der realen Welt ist grün, das Gras der verwandelten Landschaft ist zinnoberrot.

FLÄCHIGE FARBEN
Gauguins flächiger Einsatz reiner Farben widerspricht der traditionellen Auffassung von Perspektive. Die blauschwarzen Umrißlinien lassen die Farben noch intensiver hervortreten.

DIE ROLLE DES PRIESTERS
Der Priester am rechten Bildrand wurde wahrscheinlich in die Komposition aufgenommen, weil er – ähnlich dem hellseherischen Künstler – den Menschen einen Blick hinter die Alltagswirklichkeit ermöglicht.

DIE STRENGE KLEIDUNG
Die dunklen Kleider und weißen Hauben erinnern an Ordensgewänder und betonen die schlichte Frömmigkeit der Frauen. Gauguin schrieb: „Ich glaube, in diesen Gestalten habe ich eine intensive bäuerliche und fromme Einfalt eingefangen. Alles ist sehr ernst ..."

Leben mit Vincent

DIE WENIGEN MONATE, in denen Gauguin und Vincent van Gogh (1853–1890) zusammenlebten, wurden zu einer traumatischen, jedoch für beide Künstler fruchtbaren Erfahrung. Gauguin, der dringend Hilfe beim Verkauf seiner Bilder benötigte, hatte sich in dieser Angelegenheit an Vincents Bruder, den Kunsthändler Theo (1857–1891), gewandt. Im Mai 1888 lud ihn Vincent, der im Februar nach zweijährigem Aufenthalt Paris verlassen hatte, zu sich nach Arles ein. Er wollte dort in der Provence ein gemeinsames Atelier, das „Atelier des Südens", einrichten. Da Theo ihm finanzielle Unterstützung zugesagt hatte, nahm Gauguin die Einladung schließlich an. Er kam im Oktober und blieb zwei Monate bei Vincent. Beide Männer lernten viel voneinander, stritten sich aber auch häufig. Die Situation spitzte sich zu, bis am Abend des 23. Dezember van Gogh Gauguin mit einer Rasierklinge bedrohte. Später am Abend schnitt sich van Gogh, den tiefe Reue ergriffen hatte, einen Teil seines Ohres ab und gab ihn einer Prostituierten. Er verblutete fast an der Wunde. Gauguin fand ihn und benachrichtigte Theo. Daraufhin kehrte er so schnell wie möglich nach Paris zurück.

THEO VAN GOGH
Theo gelang es, bei Boussod und Valadon mehrere Bilder Gauguins zu verkaufen, und hatte daher einen großen Einfluß auf den Künstler.

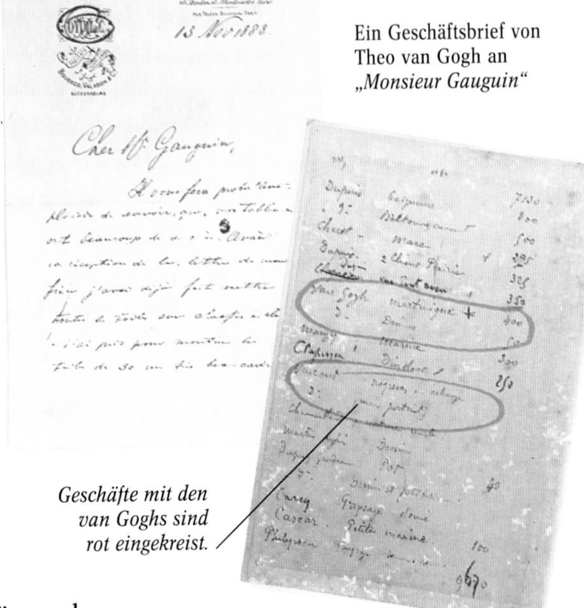

Ein Geschäftsbrief von Theo van Gogh an *„Monsieur Gauguin"*

Geschäfte mit den van Goghs sind rot eingekreist.

BUCHFÜHRUNG
In geschäftlichen Dingen war Gauguin stets sehr genau. Auf dieser Seite seines Notizbuchs sind Tauschgeschäfte und Verkäufe aufgelistet, darunter auch mit so bekannten Personen wie Degas und Mary Cassatt. Gauguin war entsetzt über van Goghs Unordnung, und er versuchte vergeblich, etwas Ordnung in dessen Lebensweise zu bringen.

EIN ALTER FRIEDHOF
Diese Postkarte zeigt Les Alyscamps, eine antike römische Begräbnisstätte in Arles. Hier malten Gauguin und van Gogh, doch beide blendeten in ihren Bildern den altertümlichen Charakter des Ortes aus.

Les Alyscamps
1888; 92 x 73 cm; Paris, Musée d'Orsay.
Les Alyscamps (oben) war das erste Motiv, dem sich beide Künstler widmeten, als sie das herbstlich gefärbte Arles erkundeten. Drei Frauen gehen den von Pappeln gesäumten Weg entlang. Die Farben sind frei gewählt und von großer Leuchtkraft, doch anders als in Vincents Bild sind bei Gauguin die Farben nur dünn aufgetragen.

Im Café

1888; 72 x 92 cm; Moskau, Puschkin-Museum.

Dargestellt ist das Bahnhofscafé, in dem Vincent van Gogh in Arles vorübergehend wohnte. Mit einem ironischen Lächeln auf den Lippen sitzt die Inhaberin, Madame Ginoux, an einem Marmortisch. Van Gogh hat die Räume des Cafés und die Inhaberin mehrfach dargestellt. Bewußt oder unbewußt ist Gauguins Bild eine Hommage an Vincent. Es zeigt drei der bekanntesten Modelle van Goghs: Madame Ginoux, den Zuaven (ganz links) und den Postboten Joseph Roulin, der sich an einem Tisch mit drei Prostituierten unterhält. Gauguin verwendet in seinem stilisierten Werk dieselben Farben wie van Gogh in seinem düsteren Bild *Nachtcafé* – Rot, Grün und Ocker. Van Gogh wollte die „schrecklichen Leidenschaften der Menschen" zeigen. Gauguins Bild dagegen ist weitaus distanzierter.

Die roten Linien lassen erkennen, daß die Seite aus einem Geschäftsbuch stammt.

Madame Ginoux

Das rätselhafte Lächeln der hier skizzierten Madame Ginoux kehrt in dem Gemälde wieder.

Das gelbe Haus

Vincent van Gogh, 1888; 72 x 91,5 cm; Amsterdam, Rijksmuseum Vincent van Gogh.

Van Gogh lebte in dem mittleren Haus mit grüner Tür. Hier erwartete er überglücklich das Kommen des „Meisters", wie er Gauguin nannte. Die Kunstauffassung der beiden Maler war völlig unterschiedlich, dennoch lernte Gauguin viel von van Goghs Verwendung leuchtender Farben.

PROSTITUIERTE

Gauguin und van Gogh besuchten häufig die Bordelle von Arles. Für Gauguin waren Alkohol und Umgang mit Frauen unverzichtbare Triebkräfte seines Schaffens. Van Gogh beschrieb Gauguin als einen Mann, bei dem „Blut und Sexualität stärker als sein Ehrgeiz sind". Die hier von Gauguin skizzierte Frau erscheint in keinem seiner Gemälde.

Die Figuren sind mit Holzkohle skizziert.

RUINEN AUS RÖMISCHER ZEIT

Das riesige römische Amphitheater im Stadtzentrum gehörte zu den Hauptattraktionen von Arles. Offensichtlich hatten die beiden Künstler an den historischen Ruinen kein Interesse.

Künstlerporträts

VAN GOGH fühlte sich in Arles einsam und hatte im Frühjahr 1888 Gauguin und Emile Bernard gebeten, sich gegenseitig für ihn zu porträtieren. Das Ergebnis waren zwei Selbstbildnisse mit jeweils einer Porträtzeichnung des anderen Künstlers im Hintergrund.

Selbstporträt
Emile Bernard, 1888; 46 x 55 cm; Amsterdam, Rijksmuseum Vincent van Gogh.
Als van Gogh ihn bat, Gauguin zu malen, schrieb ihm Bernard: „Oh, Gauguin zu malen, unmöglich." Das Bildnis Gauguins bildet den Mittelpunkt, während sich Bernard bescheiden an die Seite drängt.

Les Misérables
1888; 45 x 55 cm; Amsterdam, Rijksmuseum Vincent van Gogh.
„Was Kunst betrifft, habe ich immer recht!" Dieses Bild mit dem Untertitel *Selbstporträt mit Porträt von Bernard* zeugt von Gauguins neuem Selbstbewußtsein. In seiner Beschreibung des Bildes für Vincent verweist er auf „Les Misérables", einen Roman von Victor Hugo, und identifiziert sich mit dem Außenseiter-Helden: „Und Jean Valjean, ein Ausgestoßener ... – ist er nicht die Verkörperung des heutigen Impressionisten? Indem ich ihm meine Züge verliehen habe, hast Du ein Bild von mir und von uns allen, arme Opfer der Gesellschaft." Van Gogh gab jedoch dem ehrlichen Bild Bernards den Vorzug.

DER ABSTRAKTE KÜNSTLER
Gauguin liebte den abstrakten Charakter dieses Bildes, von dem er sagte, es sei „so abstrakt, daß es unverständlich ist". Er stellte eine Beziehung zwischen den vereinfachten Gesichtszügen und den Blumen der Wanddekoration her.

UNNATÜRLICHE FARBEN
Gauguin verwendete in diesem Bild absichtlich unnatürliche Farben. Das Gesicht des Künstlers glüht in rötlichem Bronzeton und spiegelt so den inneren künstlerischen Kampf wider. In einem Brief an seinen engen Freund Emile Schuffenecker vom 8. Oktober 1888 bezieht sich Gauguin auf das Brennen und Leiden der Kreativität: „Stelle Dir etwa Töpferwaren in einem Brennofen vor. Was für Rot- und Violettöne! Und die Augen glühen wie Flammen in einem Schmelzofen!"

Porträt van Goghs beim Malen von Sonnenblumen
1888; 73 x 91 cm; Amsterdam, Rijksmuseum Vincent van Gogh.
Gauguin malte van Gogh bei der Arbeit an einer seiner vielen Versionen der Sonnenblumen. Sie sollten Gauguins Schlafzimmer in Arles schmükken, und Gauguin liebte sie ganz besonders. Van Gogh hatte die Vase mit Sonnenblumen unmittelbar vor Augen. Diese Arbeitsweise unterschied sich von der Gauguins, der lieber aus der Phantasie heraus malte.

KÜNSTLERISCHE ANSPANNUNG
Der Künstler ist von oben dargestellt, wodurch der Akt des Malens betont wird. Die Anspannung, die durch die verkrampfte Haltung der Figur zum Ausdruck kommt, entsprach der Wirklichkeit und wird durch van Gogh bestätigt: „Das bin ich wirklich, sehr müde ... wie ich damals war."

DER KÜNSTLER BEI DER ARBEIT
Das Bild (oben) ist vielleicht aus dieser Skizze in Gauguins Notizbuch hervorgegangen. Es ist ein einzigartiges Dokument. Van Gogh wird bei der Arbeit dargestellt. Auf seinen Lippen zeigt sich ein angedeutetes Lächeln.

PORTRÄTMALEREI
An der Wand hängt ein skizziertes Porträt von Emile Bernard. Auf der Palette ist sein Daumen angedeutet. Die Wiedergabe eines Bildes im Bild war unter den Avantgarde-Künstlern sehr verbreitet.

EIN SCHLICHTER HINTERGRUND
Die dekorative Tapete dient dem eindringlichen Selbstporträt Gauguins als ruhiger, einfacher Hintergrund. Die Tapete steht symbolisch für die künstlerische Ehrlichkeit und Einfachheit der Impressionisten. Das Bild ist „l'ami Vincent" gewidmet. Van Gogh war zwar höchst erfreut über das Geschenk, doch der gequälte Gesichtsausdruck des Künstlers beunruhigte ihn. Er hoffte, ein Aufenthalt im Süden würde Gauguins ermatteten Geist wieder beleben.

Rote Glasur erzeugt den Effekt von tropfendem Blut.

Krug in Form eines Kopfes (Selbstporträt)
Kopenhagen, Det Danske Kunstindustrimuseum.
Wenige Tage, nachdem Gauguin den blutüberströmten Vincent gefunden hatte, wurde er in Paris Zeuge einer öffentlichen Hinrichtung durch die Guillotine. Dieser Krug mit Gauguins Gesichtszügen entstand kurz nach diesen Erlebnissen.

Die Weltausstellung

TECHNISCHER TRIUMPH
Der Eiffelturm wurde zur Eröffnung der Weltausstellung fertiggestellt. Gauguin war begeistert von diesem „Triumph des Eisens".

MIT DER WELTAUSSTELLUNG von 1889 in Paris wurde die Hundertjahrfeier der Französischen Revolution begangen. Frankreich wollte bei dieser Gelegenheit zeigen, daß es sich von der politischen Demütigung im Deutsch-Französischen Krieg erholt hatte. Außerdem wurde durch die Ausstellung die internationale Führung in Kultur, Politik und Technologie angestrebt. Das Land zeigte das Beste, was es zu bieten hatte. Gauguin wurde die Teilnahme an der offiziellen Kunstausstellung verweigert, und er übernahm daher von Schuffenecker die Ausrichtung einer unabhängigen Ausstellung im Café des Arts neben dem Ausstellungsgelände. Der exotische Charakter der Ausstellungsgegenstände aus den Kolonien bestärkte Gauguin in seiner Absicht, Europa zu verlassen und einen paradisischen Ort in den Tropen zu suchen, wo er billig und angenehm leben und gut verkäufliche Bilder von hoher Qualität schaffen konnte.

BUFFALO BILL
Buffalo Bill bereiste ganz Europa und zeigte überall seine aufregende Wild-West-Show. Auch auf der Weltausstellung trat er auf. Gauguin sah sich die Show mehrfach an. Ihn beeindruckte der imposante Charakter Buffalo Bills, eines halb wilden, halb zivilisierten Mannes voller Tatendrang.

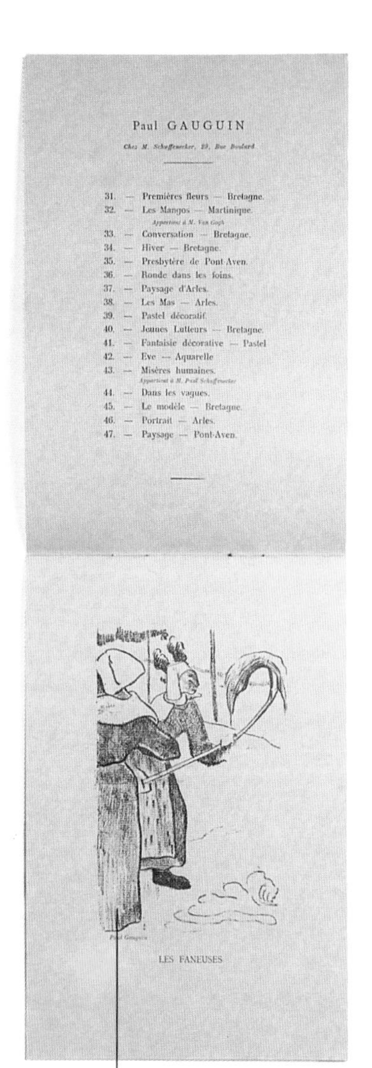

Paul GAUGUIN

Chez M. Schuffenecker, 29, Rue Boulard

31. — Premières fleurs — Bretagne.
32. — Les Mangos — Martinique.
Appartient à M. Van Gogh
33. — Conversation — Bretagne.
34. — Hiver — Bretagne.
35. — Presbytère de Pont-Aven.
36. — Ronde dans les foins.
37. — Paysage d'Arles.
38. — Les Mas — Arles.
39. — Pastel décoratif.
40. — Jeunes Lutteurs — Bretagne.
41. — Fantaisie décorative — Pastel
42. — Eve — Aquarelle
43. — Misères humaines.
Appartient à M. Paul Schuffenecker
44. — Dans les vagues.
45. — Le modèle — Bretagne.
46. — Portrait — Arles.
47. — Paysage — Pont-Aven.

LES FANEUSES

Reproduktion einer zum Kauf angebotenen Zinkographie Gauguins im Ausstellungskatalog

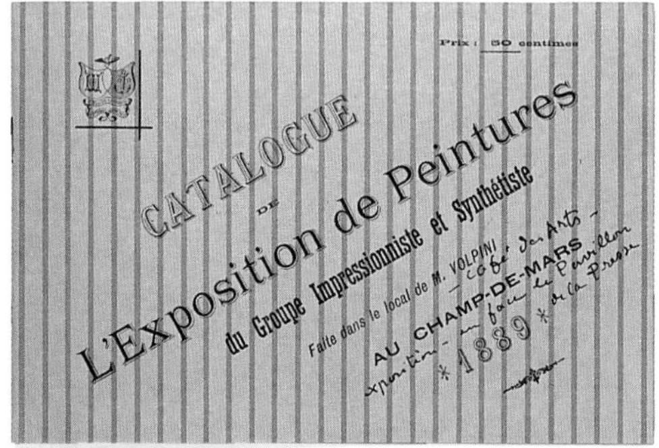

Prix : 50 centimes

CATALOGUE
DE
L'Exposition de Peintures
du Groupe Impressionniste et Synthétiste
Faite dans le local de M. VOLPINI
AU CHAMP-DE-MARS
1889

IMPRESSIONIST UND SYNTHETIST
Der Titel der unabhängigen Ausstellung „Impressionniste et Synthétiste" sollte den Unterschied zwischen Gauguin und seinen Mitausstellern (Emile Bernard, Charles Laval u. a.) einerseits und den Impressionisten andererseits betonen. Auf der Ausstellung waren hauptsächlich Gauguin und Bernard vertreten. Sie war zwar finanziell ein Mißerfolg, gewann jedoch einen starken Einfluß auf andere Künstler. Mit diesem kleinen bebilderten Katalog machten die Aussteller ihre Arbeiten bekannt.

JAVANISCHE TÄNZERINNEN
Sehr beliebt waren auf der Weltausstellung die Vorführungen der Tänzerinnen aus Java. Sie entsprachen dem Bild der europäischen Besucher von Exotik. Gauguins rege Vorstellungskraft wurde durch die Entfaltung kolonialer Pracht beflügelt, und er erwog, nach Tongking (Vietnam), Madagaskar oder Tahiti auszuwandern.

IN DER AUSSTELLUNG
Die Weltausstellung war ein großartiges internationales Ereignis. Die Menschen kamen aus allen Teilen der Welt als Aussteller, oder um die gezeigten Wunder zu bestaunen, für deren Präsentation spezielle Pavillons erbaut worden waren.

Das menschliche Elend
Diese Zinkographie gehört zu einer Serie, die Gauguin nach seinen früheren Gemälden anfertigte. Sie war im Café des Arts ausgestellt und „auf Anforderung erhältlich". Die kauernde Haltung der Gestalt geht auf die peruanische Mumie (rechts) zurück.

EINE MUMIE AUS PERU
Diese kauernde Mumie im Pariser Ethnographischen Museum faszinierte Gauguin. Er fertigte Skizzen von ihr an und übernahm die Körperhaltung der toten Gestalt in mehreren Bildern.

Gauguin benutzte diese Körperhaltung, um Leid und Verzweiflung zum Ausdruck zu bringen.

Eß- oder Trinkgefäß

Um 1889–91; 24,5 x 15 x 5,5 cm; Tahiti, Musée Gauguin.
Die Schale ist sorgfältig geformt, so daß sie gut in der Hand liegt. Die Außenfläche der Schale wurde so bearbeitet, daß sich die Dekoration als Flachrelief abhebt. Die einzelnen Motive sind nicht eindeutig definierbar, die Gesten der Figuren deuten jedoch auf Anbetung und lebenspendende Kräfte. Die rohe Art der Schnitzerei ist vielleicht als Reaktion auf einige „zivilisatorische" Exzesse der Ausstellung zu verstehen.

Die Asymmetrie der Schale läßt die natürliche Struktur des Holzes erkennen, aus dem sie geschnitzt ist.

Das Innere der Schale reflektiert durch Unebenheiten das Licht.

Die Bildmotive unterscheiden sich farblich vom dunkel-goldenen Ton des polierten Holzes.

Der Kopf einer Frau und die Andeutung ihres Körpers

Eine Blume, Symbol des Lebens und seiner Erneuerung

Die Zeit mit Schuffenecker

Familie Schuffenecker

WÄHREND SEINES Pariser Aufenthaltes 1889 wohnte Gauguin im Atelier seines Freundes Emile Schuffenecker. Die Männer waren seit 1872 befreundet, als beide für das Brokerhaus Banque Bertin arbeiteten. Schuffenecker ermutigte Gauguin, sein Interesse an der Kunst stärker zu verfolgen, und begleitete ihn bei seinen Besuchen der Pariser Museen und Ausstellungen. Als Schuffenecker seinen Beruf zugunsten der Malerei aufgab, wurde er schließlich zum Vorbild für Gauguin. Durch seine reiche Verwandtschaft konnte er Gauguin auch finanzielle Unterstützung zukommen lassen. Obwohl die Schuffeneckers ihm immer wieder geholfen hatten, malte Gauguin dieses wenig schmeichelhafte Gruppenporträt, auf dem er das Verhältnis zwischen „le bon Schuff" und seiner Frau in ein schlechtes Licht rückt. Schuffenecker entwickelte gemeinsam mit Gauguin und Emile Bernard den Stil des Synthetizismus. Durch Schuffenecker wurde Gauguin auch mit Daniel de Montfried bekannt, der später eine wichtige Rolle in Gauguins Laufbahn spielte.

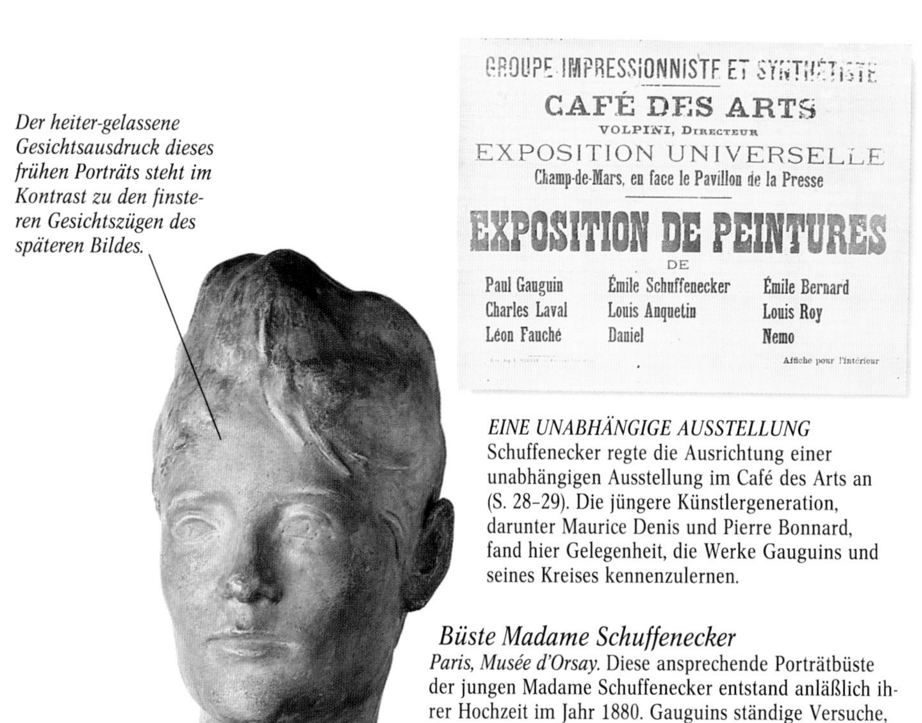

EINE UNABHÄNGIGE AUSSTELLUNG
Schuffenecker regte die Ausrichtung einer unabhängigen Ausstellung im Café des Arts an (S. 28–29). Die jüngere Künstlergeneration, darunter Maurice Denis und Pierre Bonnard, fand hier Gelegenheit, die Werke Gauguins und seines Kreises kennenzulernen.

Der heiter-gelassene Gesichtsausdruck dieses frühen Porträts steht im Kontrast zu den finsteren Gesichtszügen des späteren Bildes.

Gipsbüste

Büste Madame Schuffenecker
Paris, Musée d'Orsay. Diese ansprechende Porträtbüste der jungen Madame Schuffenecker entstand anläßlich ihrer Hochzeit im Jahr 1880. Gauguins ständige Versuche, die Frau seines Freundes zu verführen, hatten den Bruch der Freundschaft zur Folge. Der von seiner Familie getrennt lebende Gauguin führte sich bei den Schuffeneckers auf, als sei er dort zu Hause.

Die Familie Bellelli
Edgar Degas, 1858–67; 200 x 250 cm; Paris, Musée d'Orsay.
Anfang 1889 besuchte Gauguin Edgar Degas in seinem Atelier. Die Künstler schätzten einander sehr. Das Schuffenecker-Porträt verdankt seine Eindringlichkeit wahrscheinlich der Anlehnung an das fast 30 Jahre ältere Porträt *Die Familie Bellelli.* Degas' Bild ist mehr als doppelt so groß wie das Bild Gauguins.

BILDER IM BILD

An der Wand des Ateliers hängen ein Stilleben Cézannes und ein japanischer Holzschnitt. Cézanne und die japanische Graphik hatten großen Einfluß auf Schuffenecker und Gauguin.

WINTER UND SOMMER

Das Porträt wurde im Winter 1889 begonnen, aber erst im folgenden Frühsommer vollendet. Vielleicht erklärt dies den Gegensatz zwischen der Winterkleidung und der sommerlichen Landschaft, die durch ein Atelierfenster sichtbar ist.

FARBFLÄCHEN

Der Bildaufbau basiert auf der Verbindung zweier kontrastierender Flächen in den Farben Blau und Gelb. Sie verstärken den Eindruck von bedrückender Enge.

Die Familie Schuffenecker
1889–90; 73 x 92 cm; Paris, Musée d'Orsay.
In seinen Briefen beschreibt Gauguin Madame Schuffenecker als zänkisch, durchtrieben und herrschsüchtig. Vermutlich fand die Familie kein Gefallen an Gauguins unsympathischer Darstellung. In unterwürfiger Haltung wendet sich Schuffenecker seiner Ehefrau zu, deren klauenartige Hände und eigenwillige Gestalt den Kontrast zwischen den Personen verstärken. Das Bild wurde zu ihren Lebzeiten nie ausgestellt.

EIN BITTBRIEF

Gauguin war ein fleißiger Briefschreiber, der regelmäßig an seine Familie, an Freunde und andere Künstler schrieb. Dieser Brief an „Mon cher Schuff" zeigt, wie sehr er auf seinen Malergefährten angewiesen war. Er schreibt voller Verzweiflung: „Ich habe noch immer meine Geldprobleme, wann hat das alles ein Ende? Ich erwarte ungeduldig die Fertigstellung des Charlopin-Auftrags, so daß ich endlich an einem Ort leben kann, an dem kein Geld notwendig ist."

Ein Foto der Kinder Gauguins, das Mette Gauguin „An meinen lieben Schuffenecker" sandte.

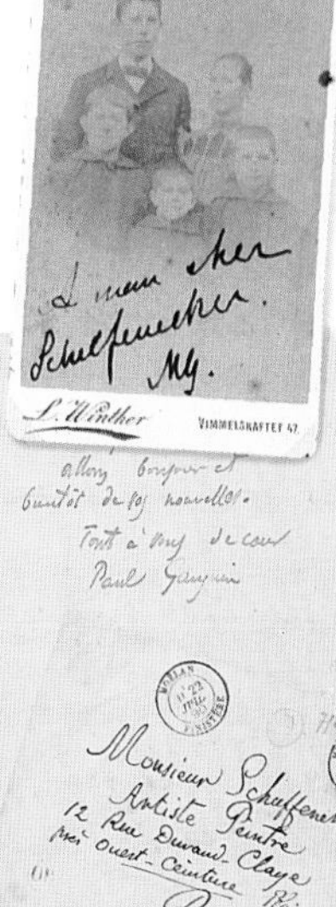

Ein geheimnisvolles Porträt

GAUGUINS PORTRÄT von Madame Satre mutet ebenso unergründlich an wie Leonardo da Vincis *Mona Lisa.* Ausdruck und Haltung scheint Gauguin hauptsächlich von Edgar Degas' Kopie des Bildes *Anne von Cleve* von Hans Holbein aus dem Jahr 1539 übernommen zu haben. Gauguins streng komponiertes Bild bedeutet eine deutliche Ablehnung des Bestrebens der Impressionisten, einen flüchtigen visuellen Eindruck festzuhalten. Einer der wenigen, die die Originalität des Porträts erkannten, war Theo van Gogh. Er schrieb: „Die Frau erinnert ein wenig an eine junge Kuh, doch das Bild hat etwas so Frisches und Ländliches, daß man es gerne betrachtet.“ *La Belle Angèle* verbindet Anregungen aus der präkolumbischen, japanischen und europäischen Kunst mit folkloristischen Elementen.

Roter Ocker

Zinnoberrot

Kadmiumgelb

Preußischblau

Kobaltblau

Smaragdgrün

DIE FARBPALETTE DES KÜNSTLERS
La Belle Angèle ist auf Varianten der Grundfarben Rot, Gelb und Blau aufgebaut. Die schlichte Farbgebung verleiht der Komposition eine besondere Klarheit.

La Belle Angèle
1889; 92 x 73 cm; Paris, Musée d'Orsay.
Marie-Angélique Satre war eine der Schönheiten von Pont-Aven. Gauguin malte dieses Bildnis als Geschenk für ihre Eltern, die ein Gasthaus in der Nähe der Pension Gloanec führten. Die Porträtierte reagierte voller Abscheu auf das ungewöhnliche Bild, und das Geschenk wurde brüsk zurückgewiesen.

NEUE FARBEN
Die Fortschritte der Naturwissenschaften und Chemie hatte im 19. Jahrhundert eine grundlegende Änderung der Farbpalette der Künstler zur Folge. Blautöne waren früher besonders problematisch gewesen, da das sehr begehrte Ultramarin aus dem Halbedelstein Lapislazuli gewonnen wurde. Der Farbkasten (oben) des Farbenherstellers Lefranc zeigt, das jetzt eine ganz neue Palette von Blautönen erhältlich war.

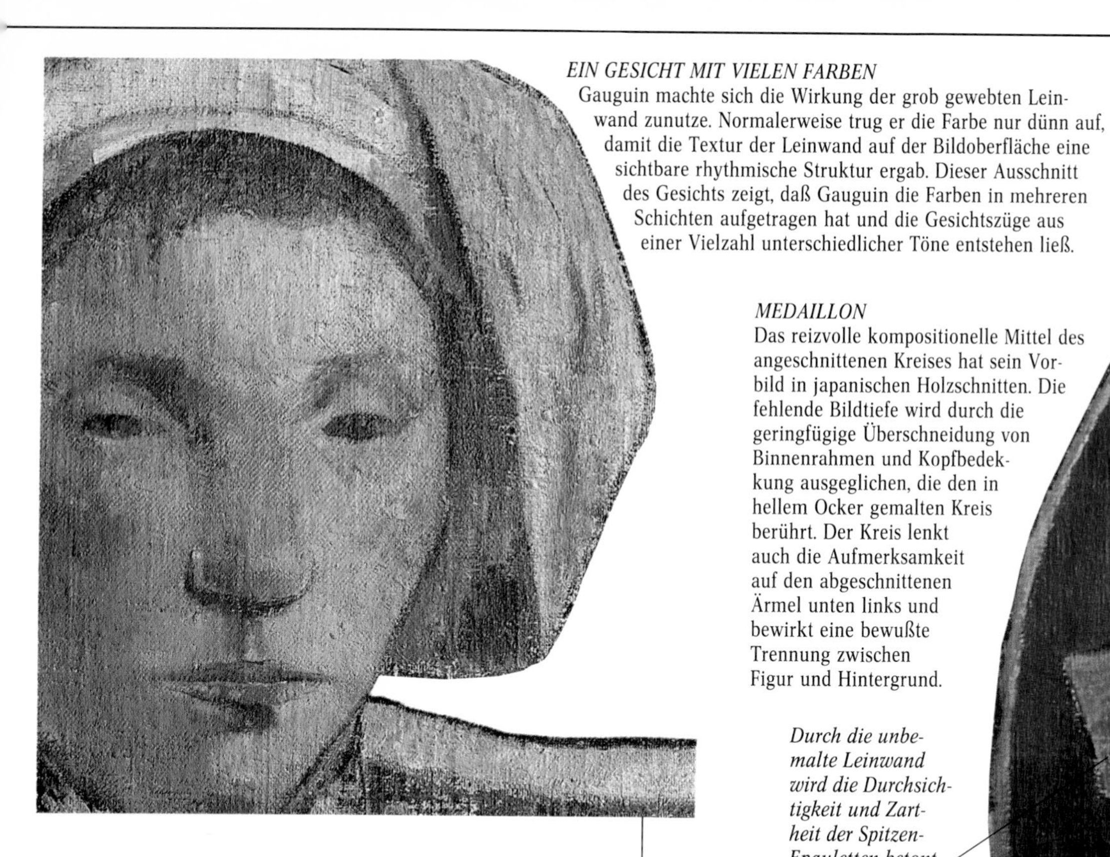

EIN GESICHT MIT VIELEN FARBEN
Gauguin machte sich die Wirkung der grob gewebten Leinwand zunutze. Normalerweise trug er die Farbe nur dünn auf, damit die Textur der Leinwand auf der Bildoberfläche eine sichtbare rhythmische Struktur ergab. Dieser Ausschnitt des Gesichts zeigt, daß Gauguin die Farben in mehreren Schichten aufgetragen hat und die Gesichtszüge aus einer Vielzahl unterschiedlicher Töne entstehen ließ.

MEDAILLON
Das reizvolle kompositionelle Mittel des angeschnittenen Kreises hat sein Vorbild in japanischen Holzschnitten. Die fehlende Bildtiefe wird durch die geringfügige Überschneidung von Binnenrahmen und Kopfbedekkung ausgeglichen, die den in hellem Ocker gemalten Kreis berührt. Der Kreis lenkt auch die Aufmerksamkeit auf den abgeschnittenen Ärmel unten links und bewirkt eine bewußte Trennung zwischen Figur und Hintergrund.

Durch die unbemalte Leinwand wird die Durchsichtigkeit und Zartheit der Spitzen-Epauletten betont.

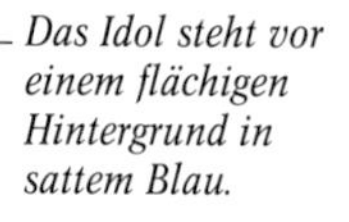

Das Idol steht vor einem flächigen Hintergrund in sattem Blau.

Umrißlinie aus unbemalter Leinwand und Ocker

Durch die dunkle Kleidung wird die Figur deutlich in einen separaten Raum gestellt.

PERUANISCHES IDOL
Die Gesichtszüge des peruanischen Idols bilden ein Gegengewicht zu denen des „schönen Engels". Sie betonen den Unterschied zwischen dem eigenartigen heidnischen Bildelement und der frommen Bretonin.

SORGFÄLTIGE BESCHRIFTUNG
Die Inschrift entspricht dem Verzicht auf einen illusionistischen Bildraum. Sie ist sorgfältig zwischen zwei blauen Führungslinien gemalt und wird durch kontrastierendes Gelb und Rot betont.

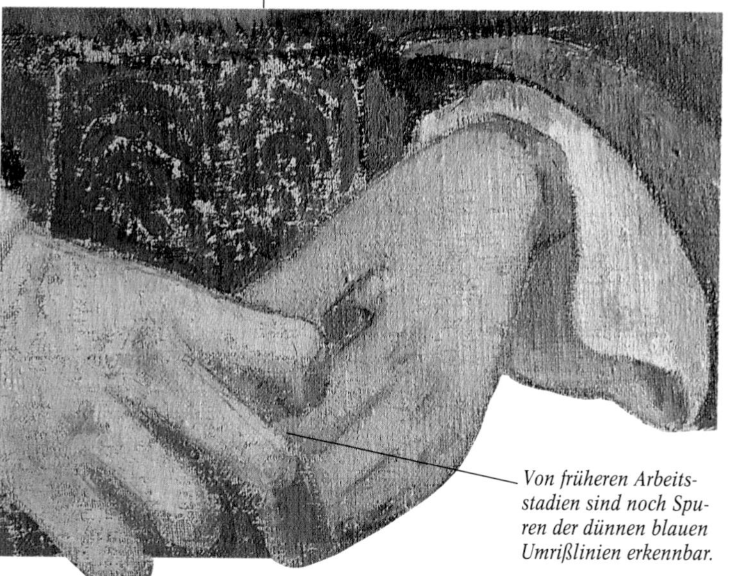

Von früheren Arbeitsstadien sind noch Spuren der dünnen blauen Umrißlinien erkennbar.

UMRISSLINIEN
Eine Röntgenaufnahme des Bildes läßt Gauguins vorbereitende Zeichnung erkennen. Ein Netz dünner blauer Linien aus stark verdünnter Ölfarbe bildet die Grundlage seines Porträts. Die freien Flächen wurden dann mit lang gezogenen Pinselstrichen in unverdünnter Farbe „ausgefüllt". Durch Veränderungen ihrer Richtung ließ Gauguin den Eindruck von Textur entstehen.

Zuflucht in Le Pouldu

GAUGUIN WAR BEKANNT, daß seine Werke beim Pariser Publikum keinen Anklang fanden. Auch finanziell war der rechte Erfolg ausgeblieben. Um der Mißachtung durch die Pariser Kunstwelt zu entgehen, suchte er Trost in Le Pouldu in der Bretagne. Er wußte, hier würde er von bewundernden Anhängern umgeben sein. In Le Pouldu schrieb er voller Bitterkeit an Emile Bernard: „Von all den Kämpfen dieses Jahres bleibt nichts als der Spott von Paris; selbst hier kann ich sie hören, und ich bin so entmutigt, daß ich nicht mehr zu malen wage.“ Le Pouldu ist eine kleine Hafenstadt an der zerklüfteten Küste der südlichen Bretagne, 15 km von Pont-Aven entfernt. Dort lebte Gauguin mit seinem Kreis von Anhängern, unter anderem Charles Laval, Meyer de Haan, Paul Sérusier und Charles Filiger. Viele von ihnen wohnten im Gasthaus von Marie Henry, La Buvette de la Plage. Es wurde zum Mittelpunkt ihrer Gemeinschaft, und gemeinsam dekorierten sie die öffentlichen Räumlichkeiten des Gasthauses. Der holländische Künstler Jacob Meyer de Haan (1852–1895) stammte aus einer reichen Familie und unterstützte die kleine Künstlergemeinschaft finanziell. Gauguin war von seiner Beschäftigung mit esoterischer Literatur fasziniert, und er porträtierte ihn mehrmals (S. 61).

EIN BENACHBARTER HOF
Von diesem Bauernhof erhielt Marie Henry für ihr Gasthaus Milch und Eier. Gauguin und Meyer de Haan malten ihn.

DER DEKORIERTE SPEISERAUM
Gauguin und seine Freunde dekorierten den Speiseraum des von Marie Henry geführten Gasthauses. Vor kurzem wurde er restauriert. Diese Bilder stammen von Gauguin.

Handkolorierter Entwurf des Künstlers

Ausführung des Entwurfs

ENTWURF FÜR EINEN TELLER
Diese Vorlage für die Bemalung eines Tellers mit dem bekannten Motto „Ein Schuft, wer Böses dabei denkt“ mutet rein dekorativ an. Das Bild des Mädchens mit einer Gans erinnert an den antiken Mythos von Leda und dem Schwan.

MÖBEL MIT SCHNITZEREI
In der Bretagne gibt es eine ausgeprägte volkstümliche Tradition der Schnitzkunst. Gegenstände wie dieses *lit-clos* (ein Bett mit Schnitzerei) erregten Gauguins Aufmerksamkeit. Ungewöhnlich war die Verwendung geheimnisvoller Symbole, Ornamente und Beschriftungen durch den bretonischen Künstler. Den rohen, einfachen Formen gab Gauguin in seinem Werk eine neue Bedeutung.

BRETONISCHER KALVARIENBERG
Diese Gruppe der drei Marien, die den Leib Christi tragen, gehört zu einem Kalvarienberg im Nachbarort Nizon. Die Ausdruckskraft dieser Monumente stellte für Gauguin eine wichtige Quelle der Inspiration dar.

Seid geheimnisvoll
Paris, Musée d'Orsay.
Gauguin schätzte diese Arbeit sehr. Sie entstand als Gegenstück zu einer früheren Holzschnitzerei mit dem Titel *Liebt euch und ihr werdet glücklich sein.* Das Relief ist bewußt mehrdeutig. Gauguin verzichtet hier auf den Symbolismus des früheren Werkes. Schon vor seiner Südseereise übertrug er bretonische Motive in eine exotische Phantasiewelt. Vor seiner Abreise nach Tahiti zeichnete Gauguin alle seine Werke mit Preisen aus in der Hoffnung, sie würden während seiner Abwesenheit verkauft. Dieses Relief bot er für den dreifachen Preis seines teuersten Gemäldes an.

Christus im Garten Gethsemane, Selbstporträt
1889; 73 x 92 cm; West Palm Beach, Norton Gallery of Art.
Niemand ließ sich durch das rote Haar täuschen: Gauguin hatte Christus seine eigenen Gesichtszüge verliehen, diesmal in einer Darstellung Christi am Ölberg, als dieser seinen unausweichlichen Verrat erwartet. Wie bei vielen seiner Werke hatte Gauguin das Gefühl: „Dieses Bild kann nur mißverstanden werden." Er versuchte, es seinen Kritikern zu erklären: „Ich habe mich dort selbst porträtiert ... Doch es stellt auch den Zerfall eines Ideals dar und einen zugleich göttlichen und menschlichen Schmerz. Jesus wurde von allen verlassen; seine Schüler verlassen ihn, an einem Ort, der so traurig wie seine Seele ist."

Gauguins Anmerkungen zur Bedeutung des Bildes

Andeutung eines Baumes

Paul Gauguin
Artiste-Peintre

VISITENKARTE
Man weiß nicht, ob diese Notizen eine Gedächtnisstütze für Gauguin darstellten, oder ob er hier versucht hat, jemandem *Christus im Garten Gethsemane* zu beschreiben. Gauguin achtete stets darauf, daß seine Freunde über seine Arbeit informiert waren.

Der leidende Künstler

DER SYMBOLIST UND KRITIKER Albert Aurier bezeichnete Gauguin in einem Artikel vom März 1891 als die führende Persönlichkeit der modernen Malerei. Während der zurückliegenden Jahre war Gauguin sehr produktiv gewesen. In der Bretagne hatte er eine Gruppe von bewundernden Schülern um sich geschart und in Paris an mehreren sehr öffentlichkeitswirksamen Ausstellungen teilgenommen, die jedoch in finanzieller Hinsicht ein Mißerfolg waren. Gauguin war tief deprimiert und wollte Frankreich unbedingt verlassen. Das Ziel seiner Reise sollte Tahiti im Pazifik sein. Er hoffte, einige seiner Künstlergefährten würden ihn begleiten. Im Café Voltaire fand ein Abschiedsessen statt, bei dem der berühmte symbolistische Schriftsteller Stéphane Mallarmé den Trinkspruch ausbrachte: „Meine Herren, lassen Sie uns auf die Rückkehr Paul Gauguins trinken ... der in fernen Ländern und tief in seiner Seele Erneuerung sucht."

EIN KIRCHEN-KRUZIFIX
Dieser blaßgelbe geschnitzte Christus hängt in der kleinen Kirche von Trémalo bei Pont-Aven. Gauguin verwendete die Skulptur als Vorlage für sein symbolistisches Werk *Der Gelbe Christus* von 1889. Dieses Gemälde erscheint auf dem Selbstbildnis hinter Gauguin (rechts).

Topf in Menschenform
1889; Paris, Musée d'Orsay.
Dieser Tabaktopf aus Steingut mit einer dunkelbraunen Lasur ist auch als *Porträt Gauguins als grotesker Kopf* bekannt. Gauguin zeigt sich hier als unterdrückter Künstler. Er wählte Steingut als Material, um die gewünschte Wirkung zu erzielen: „Steingut hat den Charakter sehr heißen Feuers, und diese Figur, die in der Glut der Hölle gebrannt wurde, bringt, so denke ich, diesen Charakter deutlich zum Ausdruck."

Porträt Mallarmé
1891; Radierung.
Stéphane Mallarmé war der führende Dichter des Symbolismus. Er und Gauguin schätzten einander sehr. In dieser Radierung scheint Gauguin dem Dichter sein eigenes markantes Profil verliehen zu haben. Der Rabe ist wahrscheinlich eine Anspielung auf ihre gemeinsame Bewunderung für Edgar Allen Poe (S. 56), und das faunartig spitze Ohr des Dichters ist möglicherweise ein Verweis auf dessen Werk „Der Nachmittag eines Fauns". Dieses Porträt ist die einzige Radierung Gauguins.

EIN GEFÄSS
Der Tabaktopf macht sich auf einem imaginären Regal breit. Wahrscheinlich malte Gauguin ihn nach einem Foto, da er das Gefäß weggegeben hatte.

DREI GESICHTER
Dieses Gemälde enthält drei Gesichter in einer Reihe. Das mittlere Gesicht ist das des Künstlers, der sich bemühte, die Kontrolle über sein Leben nicht zu verlieren. Gauguin malte sich oft vor seinen Werken. Doch hier scheinen die Bildzitate eine vertiefte Bedeutung zu besitzen.

DAS LEIDEN CHRISTI
Der *Gelbe Christus* von 1889, der den Hintergrund beherrscht, ist ein Schlüsselwerk Gauguins, von dem wenig bekannt ist. Zu seinen Lebzeiten wurde es nie ausgestellt. Auch in seinen Schriften wird es nicht erwähnt.

EIN SCHÜLER
Das Werk befand sich lange im Besitz von Maurice Denis, dem Nabi-Maler und Schüler Gauguins. Denis schrieb: „Wie Cézanne sucht auch Gauguin nach einem Stil ... Gauguin, dessen Leben so sehr von Unordnung und Brüchen geprägt war, verbannte diese aus seinen Bildern. Er liebte Klarheit, als Ausdruck von Intelligenz."

Selbstporträt mit Gelbem Christus
1889–90; 38 x 46 cm; Privatbesitz.
Das Bild entstand in einer Zeit tiefer Depressionen und Einsamkeit. Es ist Ausdruck einer neuen künstlerischen Reife Gauguins. Er malte sich vor zwei seiner jüngsten Kunstwerke, die als Symbol innerer Verzweiflung dienten. Die im beherrscht wirkenden Gesicht des Künstlers verkörperte Rationalität und Ordnung stehen im Gegensatz zu den Themen Opfer und Verzweifelung der Werke im Hintergrund.

EINE RELIGIÖSE FIGUR?
Diese Zeichnung ist für Gauguin ungewöhnlich, und sie entzieht sich einer klaren Deutung. Hinter der Figur erscheint das Wort *Ictus*, das griechische Wort für Fisch, ein frühchristliches Symbol für Christus. Der ausgestreckte Arm bedeutet vielleicht Auferstehung.

Die Südsee

Bewohner Tahitis, dargestellt nach den Aufzeichnungen des Kapitäns Cook von 1769. Auffällig sind die westlich geprägten Gesichtszüge der Tänzerinnen.

AM 9. JUNI 1891 kam Gauguin nach zehnwöchiger Fahrt auf Tahiti an. Er ließ eine hart erkämpfte künstlerische Position und eine große Familie zurück, zu der seine Beziehung abgekühlt war und die er nie wiedersah. Gauguin erhoffte sich ein Land mit Menschen, die seiner Kunst und seiner Persönlichkeit die Möglichkeit zur Entfaltung boten. So herrlich das Klima und die Landschaft auch waren, so läßt sich Gauguins Enttäuschung bei seiner Ankunft in Papeete, der Hauptstadt Tahitis, doch gut vorstellen. Es handelte sich um eine kleine Barackenstadt, die von einer französischen Oberschicht beherrscht wurde. Die tahitische Religion wurde nach der raschen Christianisierung der Insel nicht mehr ausgeübt, und das traditionelle Kunsthandwerk produzierte nur noch für den Export. Gauguin zog sich bald in einen abgelegeneren Teil der Insel zurück. Sein erster Aufenthalt auf Tahiti dauerte 18 Monate, dann zog es ihn nach Europa zurück.

Marquesas
Tahiti
New Caledonia
Australien
Sidney
Melbourne
Auckland
Neuseeland

Die Südseeinseln, Australien und Ozeanien

Der Hafen von Papeete 1890; ein Jahr später kam Gauguin hier an.

ANKUNFT DER REISENDEN
Auf seiner Reise nach Tahiti ließ sich Gauguin das Haar wachsen. Bei seiner Ankunft in der Hafenstadt Papeete (links) gaben ihm die Insulaner den Spitznamen *Taata-vahine* (Mann-Frau). Für die Ureinwohner Tahitis war der Zwittermensch eine bedeutende charismatische Figur.

ZIVILISIERTE GESELLSCHAFT
Dieses kolorierte Foto aus dem Buch „Um die Welt" (1899) von Carl Spitz verdeutlicht den Einfluß des europäischen Lebensstils auf die Insulaner. Es läßt erkennen, wie genau Gauguin, zumindest in seinen ersten Werken (rechts), die westliche Überformung des tahitischen Lebens wiedergegeben hat, wenn er Eingeborenen-Frauen in westlicher Kleidung malte. Später schuf er ein mythisches Bild der Insel und seiner Bewohner. Es hatte mit der Realität nichts mehr zu tun, wurde jedoch von seinen europäischen Bewunderern begeistert aufgenommen.

Frau mit einer Blume
1891; 70 x 46 cm; Privatbesitz.
Dieses exotisch anmutende Bild - eines der ersten Gauguins in Tahiti - offenbart die Europäisierung der Einwohner. Das Kleid der Frau entstammt nicht ihrer Kultur, sondern entspricht dem von den Missionaren eingeführten „anständigen" Stil.

Auf Bananenblättern wurde das Essen serviert.

ARBEIT UND ERHOLUNG
Ein Bananenpflücker ruht nach einem harten Arbeitstag aus. Die Vorstellung von einem bequemen Leben im Überfluß entsprach nur in Bezug auf die reichlich vorhandenen Nahrungsmittel der Realität. Die wichtigsten Anbaupflanzen waren Bananen und Brotfrüchte. Doch die bedeutendste Rolle im Leben der Tahitier, die traditionell geübte Fischer waren, spielte der Ozean.

Da Tahiti französische Kolonie war, wurde in Papeete am 14. Juli der französische Nationalfeiertrag festlich begangen.

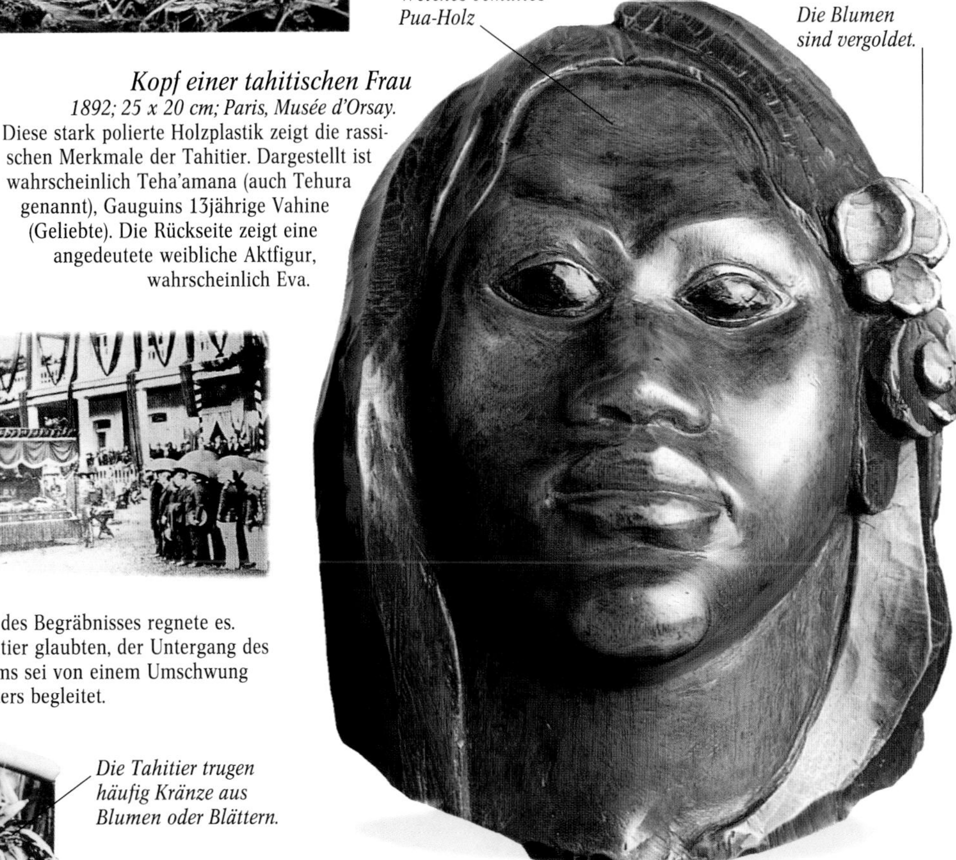

Weiches bemaltes Pua-Holz

Die Blumen sind vergoldet.

Kopf einer tahitischen Frau

1892; 25 x 20 cm; Paris, Musée d'Orsay.
Diese stark polierte Holzplastik zeigt die rassischen Merkmale der Tahitier. Dargestellt ist wahrscheinlich Teha'amana (auch Tehura genannt), Gauguins 13jährige Vahine (Geliebte). Die Rückseite zeigt eine angedeutete weibliche Aktfigur, wahrscheinlich Eva.

TOD EINES KÖNIGS
Wenige Tage nach Gauguins Ankunft starb der letzte König Tahitis, Pomare V. Mit ihm endete eine große Maori-Dynastie. Sein Tod war für Gauguin ein Schlag, denn er hatte gehofft, in dem König einen Förderer zu finden.

Am Tag des Begräbnisses regnete es. Die Tahitier glaubten, der Untergang des Königtums sei von einem Umschwung des Wetters begleitet.

Die Tahitier trugen häufig Kränze aus Blumen oder Blättern.

Der mit Planzenmotiven geschmückte, traditionelle tahitische Pareu.

EINHEIMISCHE ARBEITER
Gauguin stellte so gut wie nie die Alltagswirklichkeit in Tahiti dar. Seine Bilder zeigen vor allem Frauen und fast nur Menschen, die sich im Müßiggang ergehen. In Wirklichkeit war von dem idyllischen Leben, das so viele Schriftsteller beschrieben hatten, nach 50 Jahren Kolonialherrschaft nichts mehr übrig.

ANSICHT VON PAPEETE
Die Kirche im Zentrum dieser Aufnahme dokumentiert den religiösen Einfluß der Europäer. Nach der Ankunft der Missionare im Jahre 1797 wurden die Insulaner in kurzer Zeit zum Christentum bekehrt.

Begrüßung einer neuen Welt

GAUGUIN WAR EIN UNTERNEHMER, ein Kolonialist, der stets nach neuen ertragreichen Märkten suchte. Die „Ekstase, Ruhe und Kunst", die er in Tahiti suchte, fand er erst mit der Zeit. Zunächst kämpfte er darum, seinen Ideen Gestalt zu verleihen. Er verband die christliche Tradition mit seiner Kenntnis anderer Religionen und wählte als sein Motiv die Frauen und die Landschaft der Insel. Gauguins erste Reise nach Tahiti führte zu einer künstlerischen Blütezeit. Die damals entstandenen Bilder variieren stark in Thematik und Stil.

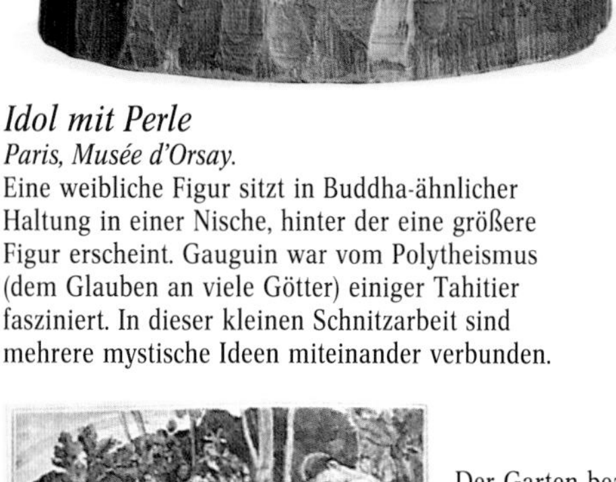

Eine vergoldete Nische aus Tamanu-Holz

Die Lotus-Haltung bedeutet Kontemplation.

Idol mit Perle

Paris, Musée d'Orsay.

Eine weibliche Figur sitzt in Buddha-ähnlicher Haltung in einer Nische, hinter der eine größere Figur erscheint. Gauguin war vom Polytheismus (dem Glauben an viele Götter) einiger Tahitier fasziniert. In dieser kleinen Schnitzarbeit sind mehrere mystische Ideen miteinander verbunden.

Gegrüßet seist du, Maria

1891; 114 x 88 cm; New York, Metropolitan Museum of Art.

Der tahitische Bildtitel *Ia Orana Maria* ist eine Übersetzung der ersten Worte des Erzengels Gabriel an Maria. Die Darstellung des christlichen Themas der Verkündigung inmitten der herrlichen Landschaft Tahitis entspricht Gauguins Versuch, religiöse Urmotive zu gestalten.

Die Götter Hina und Fatu, dargestellt auf einem Holzschnitt Gauguins

MYTHOS UND RELIGION

Eine Collage auf Seite 57 von „Noa Noa" zeigt, wie Gauguin die biblische Bilderwelt des Paradiesgartens mit einer phantasievollen Neufassung eines tahitischen Schöpfungsmythos verband, in dem Hina, die Göttin der Luft, und ihr Sohn Fatu, der Lebenspender der Erde, auftreten.

Foto einer Eingeborenen, die ein christliches Kreuz trägt.

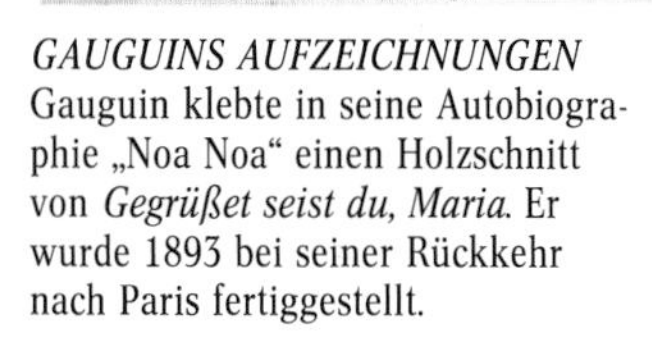

Der Garten bezieht sich vielleicht auf die Legende von Hero, dem Gott der Diebe, die Gauguin aufgezeichnet hat.

GAUGUINS AUFZEICHNUNGEN

Gauguin klebte in seine Autobiographie „Noa Noa" einen Holzschnitt von *Gegrüßet seist du, Maria*. Er wurde 1893 bei seiner Rückkehr nach Paris fertiggestellt.

La Primavera

Sandro Botticelli, um 1478; 203 x 314 cm; Florenz, Uffizien.

Gauguin nahm nach Tahiti Reproduktionen nach Bildern von Botticelli (darunter auch dieses), Holbein, Delacroix und anderen Künstlern sowie Fotos des Tempels Borobudur auf Java mit (S. 43). Sie waren für ihn eine ständige Quelle der Inspiration.

VERSCHIEDENE QUELLEN

Gauguin verwendete Motive aus seinem Bildarchiv und versetzte sie in eine Phantasielandschaft. Die beiden mittleren Figuren sind einem Relief des Tempels Borobudur auf Java nachgebildet. Den feierlichen Gesichtsausdruck Marias hat er vielleicht von Botticelli entlehnt.

RELIGIÖSE SYMBOLE

Die Symbolik des Bildes ist offenkundig und geheimnisvoll zugleich. Die Köpfe Marias und des Christkindes sind von einem Heiligenschein umgeben; weit weniger klar ist die Bedeutung des Engels.

DER ORT DER HANDLUNG

Gauguin schwelgt in den lebhaften Farben der tahitischen Landschaft: Den Vordergrund füllt ein Stilleben mit roten und gelben Bananen. Die Frauen sind in bunte einheimische Stoffe gehüllt. Den Hintergrund bildet eine Gebirgslandschaft in blauen und violetten Tönen.

IA ORANA MARIA
P. Gauguin 91

Vergessene Götter

DURCH DIE KOLONIALHERRSCHAFT waren die religiösen Praktiken der Eingeborenen auf Tahiti zerstört worden und ihre Gebräuche in Vergessenheit geraten. Gauguin ergriff jede Gelegenheit, die „primitive Pracht" einer vergangenen Lebensweise wiederzuentdecken, um sie in seiner Kunst zu neuem Leben zu erwecken. Er unterhielt sich mit jedem, der Interesse an der tahitischen Kultur und einer Bewahrung der alten Traditionen hatte. Der Künstler las auch J. A. Moerenhouts 1837 veröffentlichtes Buch „Voyage aux Iles du Grand Océan", in dem die lange vergessenen Legenden der Maori aufgezeichnet waren.

BLUTIGE RITEN
Menschenopfer und Kannibalismus waren auf Tahiti ursprünglich weit verbreitet. Nicht nur Vergehen gegen Höhergestellte und Häuptlinge oder die Verletzungen sozialer Rituale forderten Opfer, sondern auch die Anbetung der Götter.

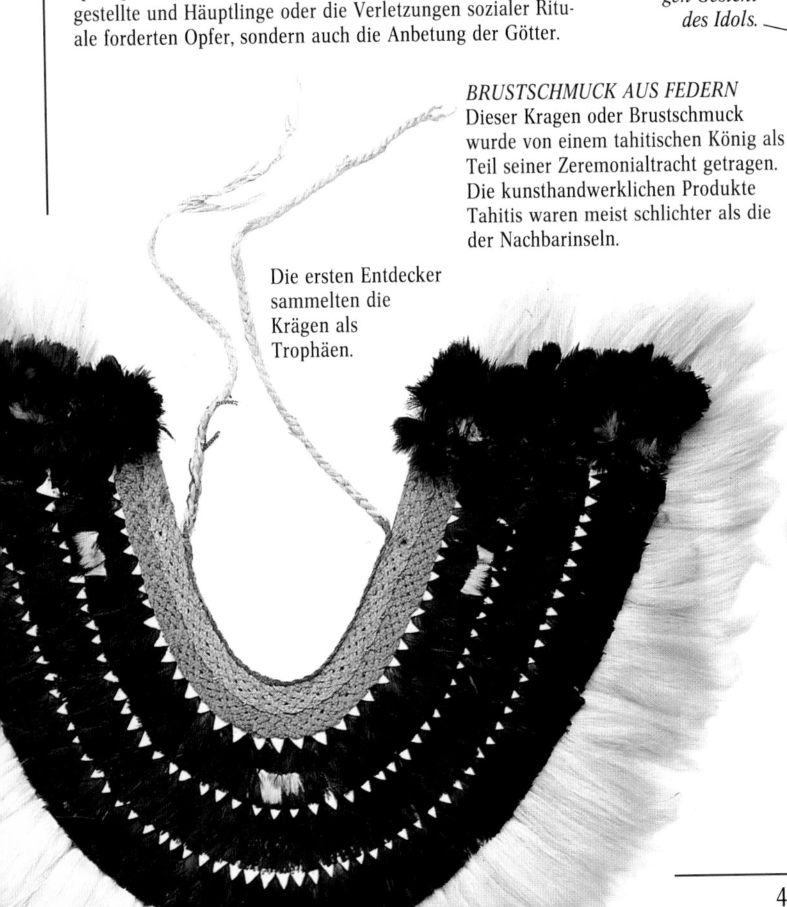

BRUSTSCHMUCK AUS FEDERN
Dieser Kragen oder Brustschmuck wurde von einem tahitischen König als Teil seiner Zeremonialtracht getragen. Die kunsthandwerklichen Produkte Tahitis waren meist schlichter als die der Nachbarinseln.

Die ersten Entdecker sammelten die Krägen als Trophäen.

Perlmutt-Muschel

Eingesetzte Zähne aus Knochen verdeutlichen die Gewalt des alten Glaubens.

Aus örtlichem Eisenbaum (Toa) *geschnitzt*

Die Buddhaähnliche Haltung steht im Gegensatz zu dem grimmigen Gesicht des Idols.

Idol mit Muschel
1892; 27 x 14 cm; Paris, Musée d'Orsay.
Gauguin war ein ausgezeichneter Bildhauer. Sein bewußt „primitiver" Stil ist vielschichtig. Durch sein handwerkliches Können gelang es ihm, mit dieser kleinen Schnitzarbeit dunkle geheimnisvolle Kräfte eindringlich darzustellen.

SEITENANSICHT DES IDOLS
Gauguin vereinte in der Skulptur mehrere Legenden und Motive, um den polytheistischen Charakter der alten tahitischen Religion zum Ausdruck zu bringen.

KULTSTÄTTE IM FREIEN
Vom traditionellen Kultus war nur wenig erhalten geblieben. Die Eingeborenen hatten nie dauerhafte Heiligtümer gebaut oder große Statuen errichtet. Dieses frühe Foto zeigt die Überreste einer Kultstätte. Es handelt sich um kaum mehr als eine Waldlichtung.

Der fötale Charakter der Skulptur symbolisiert Fruchtbarkeit.

MONUMENTALE GÖTTER
Die wenigen erhaltenen *Ti'ii* (Skulpturen in Menschengestalt) zeigen keinerlei individuelle Züge und waren daher für Gauguin von geringem Interesse. Für seine detaillierten Darstellungen „tahitischer" Idole bevorzugte er andere Quellen, etwa die monumentalen Steinskulpturen auf den Oster- und den Marquesas-Inseln oder Fotos des Tempels Borobudur (links).

BUDDHA IN BOROBUDUR
Gauguin besaß Abbildungen des buddhistischen Tempels Borobudur auf Java. Vielleicht wurde sein Interesse an ihm durch die Weltausstellung geweckt (S. 28–29). Er übernahm die anmutigen Posen der Tempelfiguren mehrfach in seinen Werken.

EINE HEXE
Diese tahitische Holzfigur stellt der Überlieferung zufolge eine Hexe dar. Viele Statuetten, denen die Einheimischen magische Kräfte zuschrieben, wurden von den Missionaren oder auch von den Tahitiern, die Angst vor ihrer Macht hatten, zerstört.

SCHNITZWERKZEUGE
Bei allen Schritten des künstlerischen Prozesses wurden Werkzeuge aus Naturmaterialien verwendet, angefangen beim Fällen der Bäume bis zum Schnitzen winziger Figuren. Sehr hartes Vulkangestein wurde geschärft und zu Äxten verarbeitet, um Holz zu schlagen. Knochen, Muscheln und Zähne verschiedener Größe, von der Ratte bis zum Hai, dienten für die feineren Arbeiten.

Die Geister der Toten

„DIE POLYNESIER HALTEN nächtliche Phosphoreszenzen für Geister der Toten. Sie glauben an sie und fürchten sie“, schreibt Gauguin. Er berichtet, wie er einst spät in der Nacht nach Hause kam und seine junge Gefährtin Teha'amana vor Angst erstarrt auf dem Bett vorfand. Sie glaubte, ohne Licht werde sie die Beute der *Tupapaus* (Geister der Toten), die des Nachts umherziehen. Die Angst vor den Toten war einer der wenigen Überreste des alten Glaubens und spielte im Leben der Tahitier eine wichtige Rolle. Voller Stolz sah Gauguin in diesem Bild einen gelungenen Ausdruck ihres „Primitivismus“.

Selbstporträt
1893–94; 46 x 38 cm; Paris, Musée d'Orsay.
Dieses Selbstporträt, das Gauguin nach seiner Rückkehr nach Paris malte, zeigt im Hintergrund das (im Spiegel seitenverkehrt erscheinende) Gemälde *Der Geist der Toten wacht.*

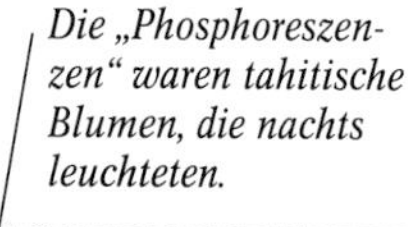

Die „Phosphoreszenzen“ waren tahitische Blumen, die nachts leuchteten.

VARIATIONEN
Dieser Holzschnitt Gauguins behandelt das gleiche Thema wie das Bild *Der Geist der Toten wacht.* Er entstand im Sommer 1894. Gauguin ersetzt hier die erotische Pose seiner Gefährtin durch eine Haltung, die ihre Angst weit eindringlicher wiedergibt.

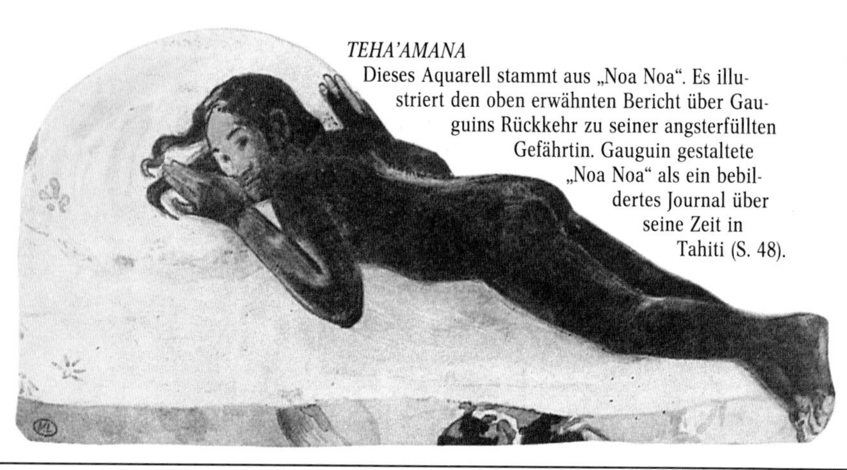

TEHA'AMANA
Dieses Aquarell stammt aus „Noa Noa“. Es illustriert den oben erwähnten Bericht über Gauguins Rückkehr zu seiner angsterfüllten Gefährtin. Gauguin gestaltete „Noa Noa“ als ein bebildertes Journal über seine Zeit in Tahiti (S. 48).

Der Geist der Toten wacht
1892; 73 x 92 cm; Buffalo, Albright Knox Gallery.
In Briefen, unter anderem an Mette, hat Gauguin die Bedeutung dieses Bildes und das Ereignis erklärt, auf das es zurückgeht. Das Bild galt auch als eine Neufassung von Manets weiblichem Akt *Olympia.*

DAS ÜBERNATÜRLICHE
Gauguin gab dem Geist das Aussehen einer alten Frau. Er versuchte damit, den tahitischen Glauben, der das Übernatürliche als Teil der natürlichen Weltordnung betrachtet, zum Ausdruck zu bringen: „Das Mädchen vermag den Geist der Toten nur in Verbindung mit der toten Person zu sehen, das heißt, als menschliches Wesen wie sie selbst."

DAS JUNGE MÄDCHEN
„Ich malte den Akt eines jungen Mädchens. In dieser Stellung kann er sehr leicht unanständig wirken ... Einem europäischen Mädchen wäre es peinlich, in dieser Stellung gesehen zu werden, den hiesigen Frauen dagegen gar nicht." Gauguin betont hier statt des mystischen den deutlich erotischen Aspekt des Bildes.

FARBEN DES TODES
Gauguin strebte eine düstere, furchterregende Wirkung an, ähnlich der einer „Totenglocke". Er verwendete daher violette, orangene und blaue Farbtöne. Die gespenstischen Gelbtöne gehen nicht nur auf das künstliche Licht in der Nacht zurück, sondern geben auch die Farbe des aus zermalmter Rinde hergestellten Stoffes der Tahitier wieder.

Pastorale Szenen

FARBPIGMENTE
Gauguin erzielte durch die Mischung reiner Pigmente, wie den oben gezeigten, einen dekorativen Effekt, der dem alter Wandteppiche ähnelt.

„ICH ERZIELE SYMPHONIEN, Harmonien, die nichts Wirkliches im eigentlichen Sinn des Wortes darstellen ...“ Gauguin strebte eine dekorative Kunst an, die die Phantasie des Betrachters wie Musik anregt. Er wollte die Welt nicht durch Farben oder Linien wirklichkeitsgetreu wiedergeben, sondern durch „die geheimnisvollen Affinitäten zwischen unserem Gehirn und einer solchen Anordnung von Farben und Linien“. Sein Gemälde *Arearea* zeigt wahrscheinlich eine nächtliche Szene. Das Idol links oben ist die Mondgöttin Hina. Die tahitische Flöte, auf der die Frau links spielt, stand für Gauguin in Verbindung mit der Ruhe der Nacht.

Kobaltblau

Viridiangrün

Gelber Ocker

Chromgelb

Kadmiumorange

Purpurrot

DIE FARBPALETTE DES KÜNSTLERS
Aus diesen Farben sind einige der Töne in *Arearea* gemischt.

Arearea
1892; 75 x 94 cm; Paris, Musée d'Orsay.
Arearea („Vergnügung“) gehört zu einer Serie von drei Bildern, die Gauguin während seines ersten Aufenthalts in Tahiti malte. Es sagte ihm unter allen damals entstandenen Bildern am meisten zu. Durch die Aufnahme tahitischer Mythen erweiterte er die europäische Tradition des idyllischen pastoralen Bildes, das auf Künstler wie Giorgione und Tizian zurückging.

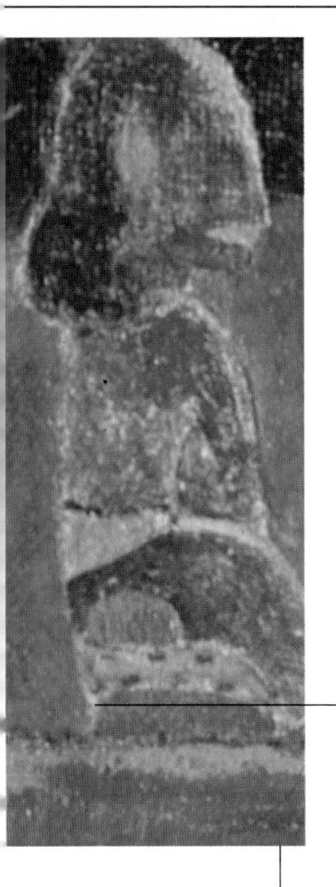

TAHITISCHE GOTTHEIT
Dieses Idol erinnert an ein *Ti'ii* (S. 43). Die typische steinerne Oberfläche wird durch dünne Schichten gedämpfter, blasser Farben wiedergegeben. Durch die feinen Fliedertöne hebt sich das Idol von der üppigeren und kräftigeren Farbgebung des übrigen Bildes ab. Das Idol ist Hina, die tahitische Mondgöttin.

EINDRUCK EINER NAHT
Das Bild ähnelt in seiner Textur einem Bildteppich. Dieser Effekt entsteht durch eine dünne, einförmige Farbschicht auf der ungrundierten Leinwand. Die eigenartigen, an Nähte erinnernden Punkte an der Begrenzung der Farbflächen verstärken die Ähnlichkeit mit einem Gewebe.

Dunkle Punkte lassen die Begrenzung wie eine Naht wirken.

Gedämpfte Farbflächen werden von blauschwarzen Konturlinien eingefaßt.

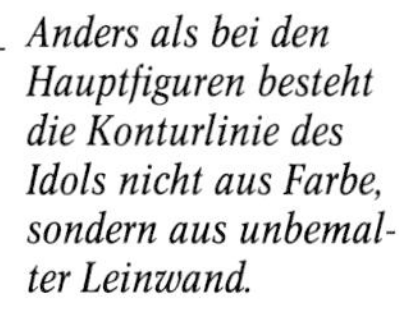

Anders als bei den Hauptfiguren besteht die Konturlinie des Idols nicht aus Farbe, sondern aus unbemalter Leinwand.

PLASTISCHE WIRKUNG DURCH SCHATTEN
Die blaue Umrißlinie ist übermalt, um einen einheitlichen Gesamteindruck zu erzielen. Die Haltung der vorderen Figur erinnert an Buddha; ihr weißes Gewand läßt an eine Priesterin denken.

DunkleTöne deuten die Gewandfalten an.

Einfarbige Flächen verringern die perspektivische Tiefenwirkung.

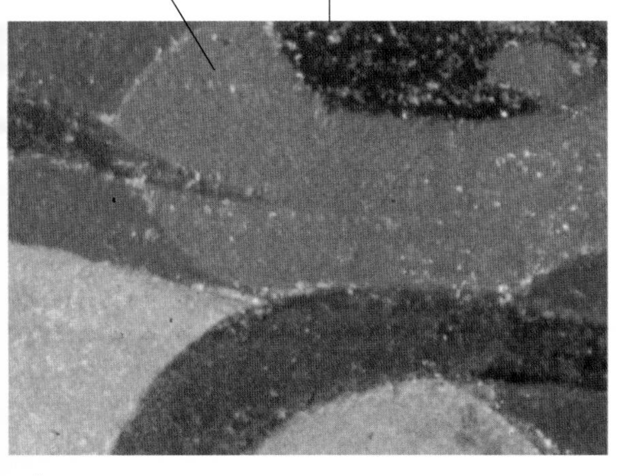

FLÄCHIGE LANDSCHAFT
Der Mittelgrund des Bildes ist aus der Phantasie gestaltet – weder Formen noch Farben entsprechen der Wirklichkeit. Die Flächen aus warmen Farben lassen Formen entstehen, deren Sinn sich nur im Zusammenhang mit anderen Bildteilen enthüllt. Sie scheinen eine Lagune mit Felsen und Pflanzen wiederzugeben.

Ein seltenes Beispiel für pastosen Farbauftrag

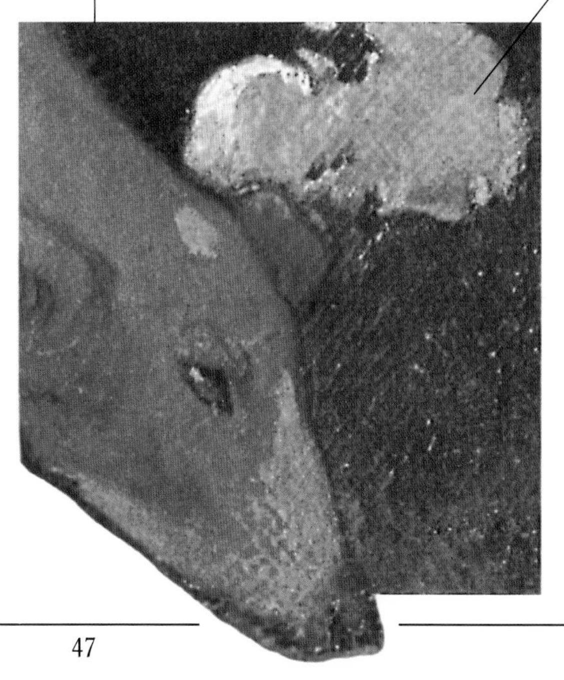

EIN GOLDENER HUND
Das Orange des Hundes wirkt bewußt künstlich. Es ist die Farbe der buddhistischen Mönchskleidung. Der gleiche Hund erscheint auf vielen anderen Bildern. Seine Bedeutung ist unklar, doch Gauguin scheint die Meinung eines Kritikers zu teilen, der ihn als bösen Geist interpretierte. Der Hund verursachte bei Vielen Entsetzen, als das Bild 1893 in der Galerie Durand-Ruel ausgestellt wurde. Über bzw. hinter dem Kopf des Hundes bildet eine weiße Blüte eines der wenigen Beispiele für pastosen Farbauftrag.

Rückkehr nach Paris

AUF TAHITI HATTE GAUGUIN große Sehnsucht nach Paris. Er machte sich verzweifelte Sorgen um seinen Ruf und seine geschäftlichen Angelegenheiten. Kurz nach der Rückkehr nach Paris im September 1893 machte er eine Erbschaft von 13 000 Francs, die er nicht mit Mette teilte. Im Frühjahr unternahm er eine nostalgische Reise in die Bretagne. Bei einer Auseinandersetzung mit Matrosen im Hafen von Concarneau brach er sich den Knöchel – eine Verletzung, die nie richtig heilte. In Paris organisierte Gauguin zwei Auktionen seiner Werke. Beide Male waren die Erträge dürftig, obwohl Degas mehrere Bilder erwarb.

NOA NOA
Um seine auf Tahiti gewonnenen Erfahrungen zu erklären und einer breiteren Leserschicht zugänglich zu machen, verfaßte Gauguin das autobiographische Buch „Noa Noa“, dessen Titel „reicher Duft“ bedeutet. Es enthält zahlreiche Illustrationen und bietet das Bild einer idyllischen und primitiven Gesellschaft. Viele der in dem Buch erzählten Legenden stammen nicht aus Berichten von seiner tahitischen Vahine (Geliebten), wie Gauguin behauptete, sondern aus Moerenhouts Buch zu diesem Thema (S. 42).

HOLZSCHNITT AUS NOA NOA
Dies ist einer von zehn Holzschnitten, die für „Noa Noa“ entstanden sind. Sie zeigen ein dunkles und geheimnisvolles, fast undurchdringlich anmutendes Tahiti. Einige der Probeabzüge wurden koloriert. Von diesen gleicht daher keiner dem anderen.

Innenansicht eines traditionellen gemeinschaftlichen Langhauses auf Tahiti

Gauguins handschriftlicher Text enthält Ergänzungen und Verbesserungen.

TAHITISCHE FIGUREN
Diese Aquarellskizzen stammen aus „ Noa Noa“. Sie geben die Farben und die scheinbar sorglose Lebensweise auf Tahiti wieder.

Fächer wurden häufig dekorativ bemalt

Dieses Bild erinnert stilistisch an Camille Pissarro.

Bretonisches Dorf im Schnee
1894; 62 x 87 cm; Paris, Musée d'Orsay.
Dieses Landschaftsbild mit den schneebedeckten Häusern, die sich an eine Dorfkirche schmiegen, läßt Gauguins Liebe zur Bretagne erkennen. Im Winter 1894/95 gab es dort keinen Schnee. Möglicherweise entstand dieses Bild ganz aus der Erinnerung.

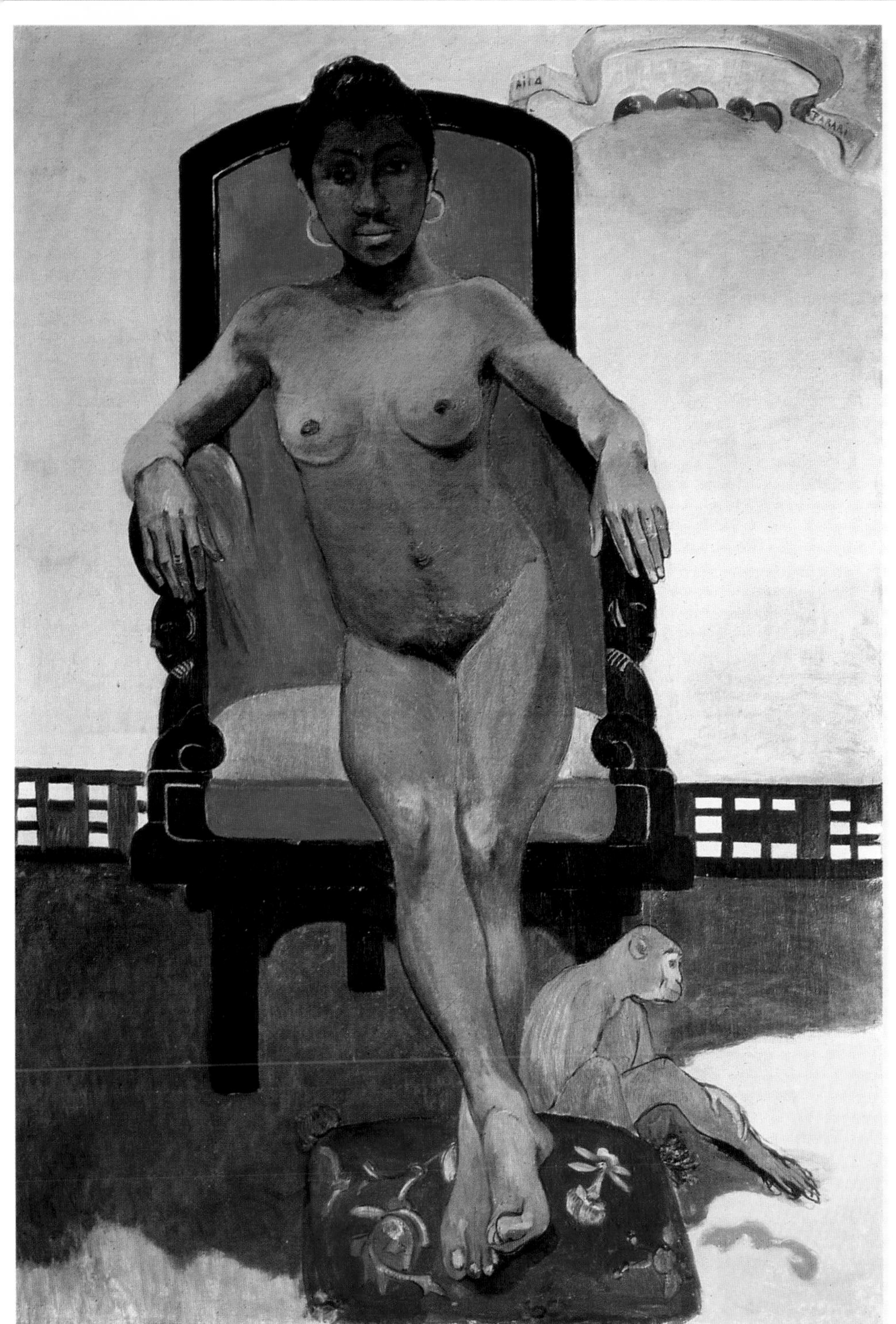

Annah die Javanerin
1893–94; 116 x 81 cm; Bern, Sammlung Hahnloser.
Der vollständige Titel lautet *Aita tamari vahine Judith te parari* („Die Kindfrau Judith ist noch nicht gebrochen"). Diese Inschrift ist kaum lesbar oben rechts im Bild angebracht und bezieht sich nicht auf das Modell Annah, sondern auf ein gleichaltriges europäisches Mädchen. Die meisterhafte Farbgebung und spannungsvolle Komposition ergeben ein unvergeßliches Bild. Annahs Affe Taoa mischt in die exotische Pracht einen drolligen Aspekt.

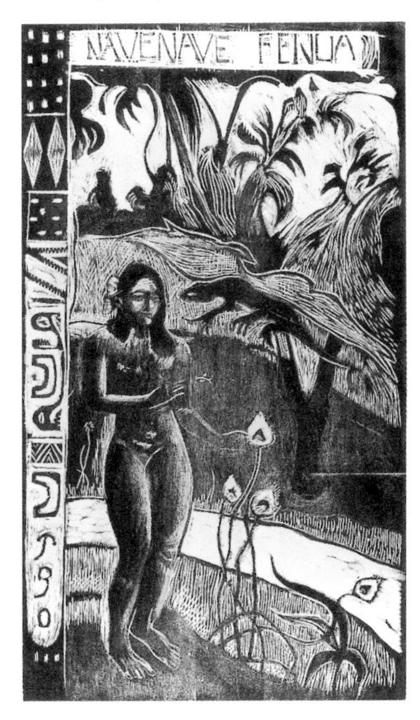

Das wunderbare Land
Ein weiterer der zehn Holzschnitte für „Noa Noa". Er entstand in Paris. Die Buchstaben PGO im linken Rahmenfeld verweisen auf Gauguin. Das Bild versetzt den Mythos von Adam und Eva in die märchenhafte Landschaft Tahitis: Eine dunkelhäutige Eva, die sich dem Betrachter zuwendet, wird durch eine geflügelte Echse in Versuchung geführt.

UNTERHALTUNG IM ATELIER
Dieses Foto aus Gauguins Atelier läßt den bohemienhaften Lebensstil des Künstlers erahnen. Er liebte Musik und spielte selbst Mandoline und Harmonium. Gauguin ist auf dem Foto nicht vertreten. In der Mitte steht die Javanerin Annah, seine 13jährige Geliebte aus Sri Lanka.

Schloß bei Medan
Paul Cézanne, 1880; 59 x 72,4 cm; Glasgow, Burrel Collection. Dieses Gemälde mit der Darstellung von Emile Zolas Haus besaß Gauguin. Bei seiner Rückkehr nach Paris mußte er feststellen, daß Mette es verkauft hatte, um mit dem Erlös den Lebensunterhalt der Familie zu bestreiten. Er versuchte vergeblich, es zurückzuerlangen. Gauguin beklagte den Verlust des Bildes sehr.

Der Maler Paul Sérusier (S. 21)

Die Javanerin Annah

Der Cellist Fritz Schneklud

Die Wilde

DER KÜNSTLER UND SEIN WERK
Die Entschlossenheit, die in Gauguins Haltung zum Ausdruck kommt, verrät den unerschütterlichen Glauben an sein Genie. Hinter ihm ist sein Bild *Te Faaturuma* zu erkennen; der Titel bedeutet „Stille" oder besser „Niedergeschlagenheit".

GAUGUIN STAND ERNEUT vor finanziellen und persönlichen Problemen. Er hatte den Prozeß gegen Marie Henry um die Kunstwerke, die er in ihrem Gasthaus in Le Pouldu zurückgelassen hatte, verloren. Eine Auktion im Hotel Drouot hatte erneut gezeigt, daß er von dem Verkauf seiner Bilder nicht so leben konnte, wie es seinen Vorstellungen entsprach. Er war praktisch zur Rückkehr nach Tahiti gezwungen. Dieses Mal hoffte Gauguin erneut, seine Freunde würden ihn begleiten, doch einer nach dem anderen sagte ab. Als Reaktion schuf der Künstler die „keramische Skulpur" *Oviri* (das tahitische Wort für „Wilder" bzw. „Wilde"), mit der er sich stark identifizierte. Gauguin hielt die Skulptur für eines seiner besten Werke, eine Ansicht, der viele seiner Zeitgenossen nicht beizupflichten vermochten. Sie wurde 1895 von der Jury der Societé Nationale nur deshalb nicht abgelehnt, weil Ernest Chaplet drohte, seine gesamten Werke zurückzuziehen.

Tag der Götter (Mahana no Atua)
1894; 68,3 x 91,5 cm; Chicago, Art Institute.
Trotz der ungewöhnlichen Farbgebung ist dieses Gemälde eine direkte Übertragung der üblichen französischen Salonmalerei in eine tahitische Landschaft. Die gängigen Verweise auf die griechische Kultur wurden durch Gauguins eher vage Vorstellungen von der tahitischen Mythologie ersetzt. Die Figuren und das riesige Idol verdeutlichen erneut den Wunsch des Künstlers, der in seiner Vorstellung existierenden Reinheit einer „primitiven" Kultur Gestalt zu verleihen. Das Leben der Tahitier hatte den Bezug zu den natürlichen Lebenszyklen noch nicht verloren, und Gauguin sah hierin den Gegensatz zu den dekadenten Werten Europas.

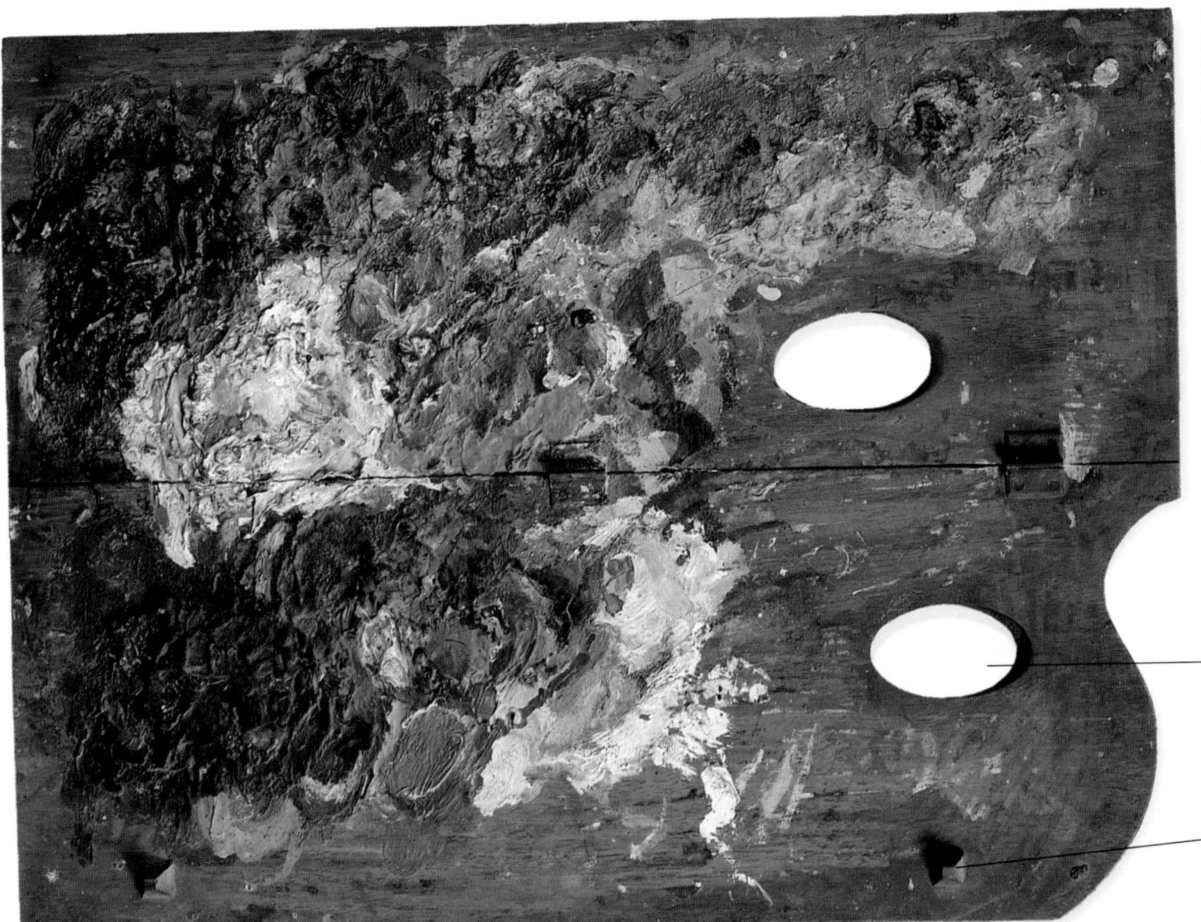

GAUGUINS PALETTE
Zusammenklappbare, transportable Paletten wie diese aus Gauguins Besitz wurden meist für das Malen im Freien verwendet. Sie fand sich in seinem letzten Atelier auf den Marquesas-Inseln, dessen Inventar nach seinem Tod versteigert wurde. Anders als viele Künstler, die die Farben nach einer festen Abfolge auf der Palette anordneten, hat Gauguin die Farben anscheinend ohne jede Ordnung aufgetragen. Er scheint seine Palette nach dem Gebrauch auch nicht gereinigt zu haben, sondern trug die frischen auf die alten, getrockneten Farben auf.

Zwei Spazierstöcke und ein Dolch

Oviri
1894; emailliertes Steingut, 75 x 19 x 27 cm; Paris, Musée d'Orsay.
Die tahitische *Oviri moe-ahere* („die Wilde, die im Wald schläft") war eine Göttin des Todes und der Trauer. Die Figur ist auch als *La Tueuse* („die Tötende") bekannt. Unter ihrem linken Arm trägt sie ein Wolfsjunges, während zu ihren Füßen ein toter Wolf liegt; sie dienen als Allegorien des Lebens und des Todes.

Der gleichsam abwesende Gesichtsausdruck deutet auf eine dem Irdischen entzogene Existenz.

DEKORIERTE SPAZIERSTÖCKE
Gauguins ungewöhnlich herausgeputztes Erscheinungsbild bei seinem letzten Aufenthalt in Paris war eine kleine Sensation. Er trug einen riesigen blauen Gehrock, eine bestickte blaue Weste, einen grauen Filzhut, weiße Handschuhe und einen Spazierstock, der mit seinen „barbarischen Schnitzereien" dekoriert war. Diese Spazierstöcke gehörten zur Sammlung des Kunsthändlers Vollard.

Der runde Leib bedeutet Fruchtbarkeit.

Der Körper wird durch die Gliedmaßen mehr enthüllt als verdeckt.

EIN KLUMPEN TON
Diese Skulptur schuf Gauguin aus einem einzigen Tonklumpen, den er zu einem Zylinder formte. Sie ist teilweise emailliert. Vielleicht geht sie auf ein hölzernes Original zurück.

BEDEUTENDE WIRKUNG
Auf der Gauguin-Retrospektive von 1906 in Paris bekam auch der junge spanische Künstler Pablo Picasso *Oviri* zu Gesicht. Er scheint in seinem frühkubistischen Gemälde *Les Demoiselles d'Avignon* Elemente von Gauguins Werk übernommen zu haben.

Tupfen roter Emailglasur verstärken die erschreckende Wirkung.

EIN GRAUSAMES RÄTSEL
Gauguin nahm die Figur der *Oviri* in späteren Werken wieder auf. Auch eine Reihe von Holzschnitten geht auf sie zurück. Auf einem dieser Holzschnitte, den er an Stéphane Mallarmé schickte, nannte er sie „eine merkwürdige Figur, ein grausames Rätsel".

DER KLASSISCHE AKT
Dieser Typus der Aphrodite, die ihre Brüste und Scham mit den Händen bedeckt, wird nach ihrer Haltung als *Venus pudica* bezeichnet. Sie steht in ausgeprägtem Gegensatz zu Gauguins „primitiver" Skulptur – vielleicht ein Grund für die Ablehnung der *Oviri*, die zu Gauguins Lebzeiten keinen Käufer fand.

An der Vielfalt unterschiedlicher Oberflächenbearbeitung wird Gauguins meisterhafte Technik deutlich.

Nach vielen Verzögerungen wurde 1973 schließlich dem Wunsch Gauguins gemäß ein Bronzeguß von *Oviri* auf seinem Grab aufgestellt (S. 59).

Schwere Zeiten

Selbstporträt
1896; 40 x 32 cm; Paris, Musée d'Orsay. Gauguin schickte dieses Selbstporträt an Daniel de Montfried in Paris. Sein müder Gesichtsausdruck und die dunklen Farben spiegeln die Schwierigkeiten wider, denen er bei seiner Rückkehr nach Tahiti begegnete.

NACH SEINER RÜCKKEHR auf Tahiti 1895 gelang es Gauguin nur schwer, das idealisierte Bild vom primitiven Leben aufrechtzuerhalten, das er in seinen früheren Werken entworfen hatte. Er ließ in Punaauia, 5 km von Papeete entfernt, eine traditionelle Hütte bauen und suchte nach einer geeigneten Vahine (Geliebten). Aus Geldmangel war er schon bald gezwungen, sein Haus zu verlassen und in einen Vorort von Papeete zu ziehen. Er nahm eine Stellung in der staatlichen Bau- und Vermessungsbehörde an. Als er Geld aus Paris bekam, kehrte er in seine Hütte zurück, die Ratten und Regen fast zerstört hatten. Er verwandte seine Kräfte jetzt auf das Schreiben, was ein Nachlassen seiner Produktivität als Maler zur Folge hatte.

Der Löffelstiel endet in einer winzigen Sitzfigur.

Die üblichen geschnitzten Initialen PGO

Holz gehörte zu Gauguins Lieblingsmaterialien.

GESCHNITZTE LÖFFEL
Gauguin hatte eine große Vorliebe für Dekorationen und schuf herrliche Gegenstände für den häuslichen Bereich.

DER KÜNSTLER ALS JOURNALIST
Die Ungerechtigkeiten im kolonialen Alltag gaben Gauguin den Anstoß, sich als politischer Schriftsteller zu betätigen. Krankheit und Armut entfremdeten ihn zunehmend der angesehenen Gesellschaft, doch Gauguin bahnte sich durch die Gründung der Satire-Zeitschrift „Le Sourire" („Das Lächeln") den Weg in andere Kreise. Vom August 1899 bis April 1900 war er Verfasser, Illustrator und Herausgeber dieser Flugschrift und folgte damit seinem Bedürfnis, sich mit sozialen Problemen auseinanderzusetzen.

BEZAHLUNG DES KÜNSTLERS
In diesem Brief vom 26. Oktober 1901 informierte der Kunsthändler Ambroise Vollard Gauguin über seine Geldsendungen. Seit 1900 bestand eine Übereinkunft zwischen Gauguin und Vollard, die dem Künstler für 20 bis 24 Bilder jährlich ein monatliches Gehalt von 300 Francs zusicherte.

Vollard schickt einen Scheck über 350 Francs an Gauguin, mehr als der übliche Betrag.

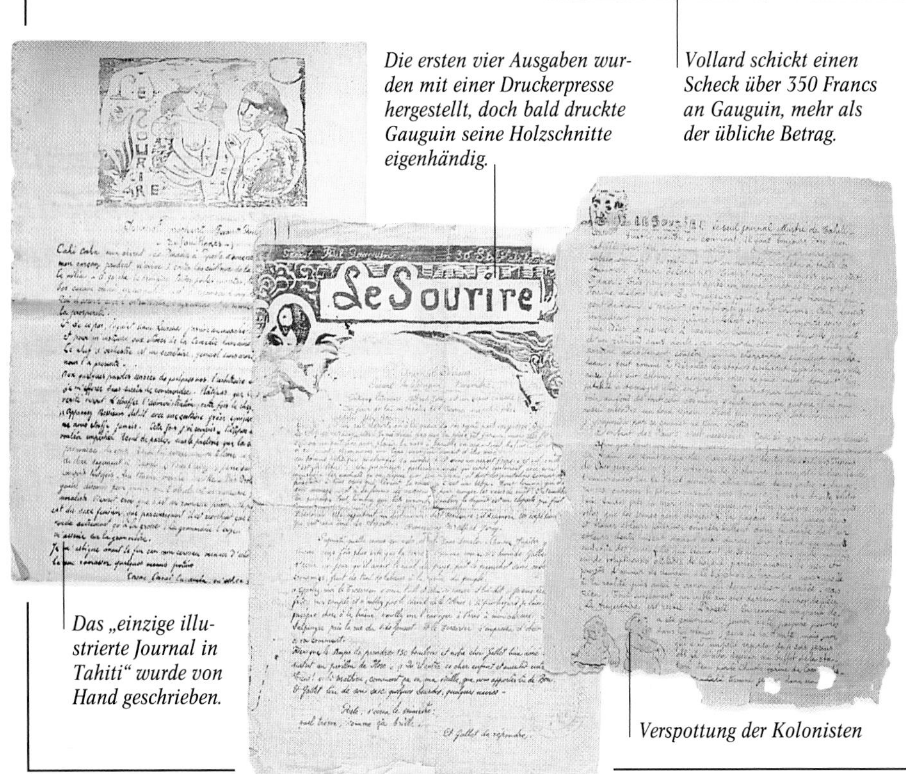

Die ersten vier Ausgaben wurden mit einer Druckerpresse hergestellt, doch bald druckte Gauguin seine Holzschnitte eigenhändig.

Das „einzige illustrierte Journal in Tahiti" wurde von Hand geschrieben.

Verspottung der Kolonisten

Blumenvase
1896; 64 x 74 cm; London, National Gallery.
Wahrscheinlich war Gauguin nicht so verarmt, wie er es in seinen Briefen darstellte. Seine Geschäfte führte er allerdings mehr schlecht als recht. Andererseits war ihm klar, daß er den Kunstmarkt und seinen Händler in Paris mit Bildern versorgen mußte. Zu diesem Zweck schuf er Stilleben wie dieses, war jedoch besorgt, daß sie ihn von seinen aus der Phantasie geschaffenen Werken ablenkten.

Ländliche Szene auf Tahiti
1898; 54 x 169 cm; London, Tate Gallery.
Dieses Gemälde ist ein kleineres, optimistisches Gegenstück zu *Woher kommen wir?* (S. 54–55). Beide Werke wurden im Winter 1898 auf einer Gauguin-Ausstellung in der Galerie Vollard gezeigt.

VERGOLDETER FRIES
In dem friesartigen Charakter des Bildes ist der Einfluß von Botticellis *Primavera* (S. 40) erkennbar. Ein Foto dieses Werkes hatte Gauguin an die Wand seiner Hütte geheftet. Das satte Gelb erinnert an den vergoldeten Hintergrund alter religiöser Bilder.

GOLDENES PARADIES
Das eher dekorative als symbolistische Bild zeigt eine ruhige, paradiesische Szenerie mit Früchten, Blumen und sorglosen Menschen. Die zentrale Figur mutet als Göttin oder Priesterin an, die eine rituelle Geste ausführt.

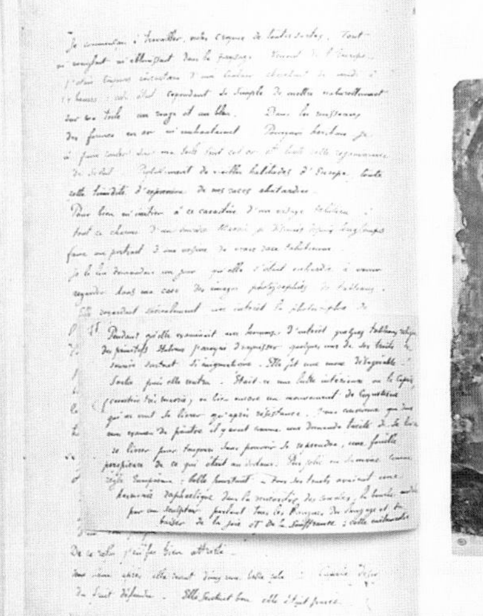

Hier malt Gauguin ausnahmsweise einen natürlichen blauen Himmel.

WOHNUNG UND ATELIER
Für „Noa Noa“ malte er ein Aquarellbild seines Hauses. Eingeborene hatten ihm aus Palmblättern und Bambusrohr eine traditionelle Hütte gebaut (unten). Gauguin machte es Freude, seine Wohnung und sein Atelier mit Dekorationen zu versehen. Für seine letzte Wohnung schnitzte er reich verzierte Rahmen für den Eingang zu seinem Schlafzimmer und seinem Atelier (S. 58–59).

ALINE GAUGUIN
Aline war Gauguins Lieblingskind: Sie trug den Namen seiner Mutter. Gauguin hatte dieses Foto auf seinen Reisen in die Südsee bei sich. Aus einem kurzen Brief von Mette erfuhr er, daß sie am 19. Januar 1897, im Alter von 20 Jahren, an Lungenentzündung gestorben war. Gauguin hörte danach nie wieder etwas von seiner Frau. Möglicherweise wurde seine tiefe Depression, die in einen Selbstmordversuch mündete, durch den frühen Tod seiner Tochter ausgelöst.

POLITISCHE AKTIVITÄTEN
Im Januar 1900 wurde Gauguin Herausgeber von „Les Guêpes“ („Die Wespen“). Er war nur ein Jahr Mitarbeiter der Zeitung. Sie bildete das Sprachrohr der katholischen Partei und damit ein politisches Organ, das zu Angriffen auf die protestantische Bevölkerungsgruppe diente.

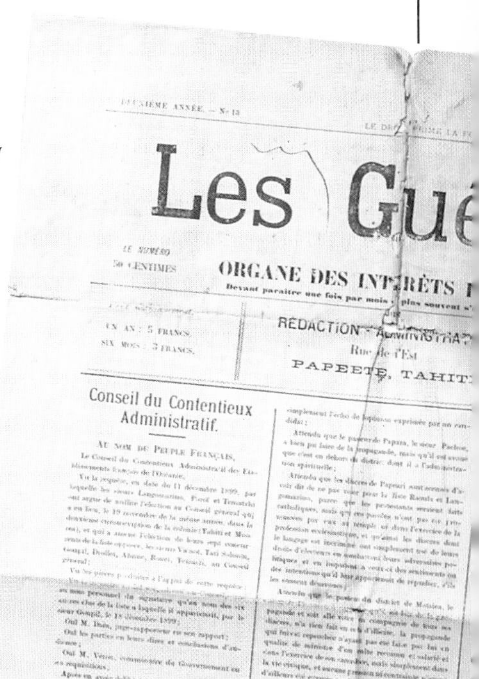
DEUXIEME ANNEE. — N° 13

Les Gué

LE NUMÉRO 50 CENTIMES

ORGANE DES INTÉRÊTS

Devant paraître une fois par mois, plus souvent

UN AN : 5 FRANCS.
SIX MOIS : 3 FRANCS.

RÉDACTION - ADMINISTRA
Rue de l'Est
PAPEETE, TAHITI

Conseil du Contentieux Administratif.

AU NOM DU PEUPLE FRANÇAIS,

EINGEBORENENHÜTTE
Dieses Foto von Gauguins Wohnhaus und Atelier in Punaauia läßt seinen relativen Wohlstand erkennen. Mit der weiblichen Aktstatue links wollte er seinen früheren Arbeitgeber Auguste Goupil verspotten: Der Anwalt hatte seinen Garten mit klassischen Statuen ausgestattet.

Ein Lebensfries

GAUGUINS GESUNDHEITSZUSTAND verschlechterte sich Ende 1897, und seine Depressionen wurden so stark, daß er beschloß, sein Leben zu beenden. Er setzte seine Freunde schriftlich von dieser Entscheidung in Kenntnis. Auf einer vier Meter langen Leinwand aus grobem Sackleinen, das aus Hanffasern gewebt war, begann er mit der Arbeit an dem als künstlerisches Vermächtnis geplanten Bild *Woher kommen wir? Wer sind wir? Wohin gehen wir?* Er berichtet, daß er nach Abschluß der Arbeit auf einen Hügel gestiegen sei, dort eine große Dosis Arsen geschluckt und auf den Tod gewartet habe. Doch er habe sich übergeben müssen und sei daraufhin langsam in ein Leben zurückgekehrt, das für ihn der Tod bei lebendigem Leibe sei.

FOTO FÜR EINEN FREUND
Am 2. Juni 1898 wurde das riesige Bild in Gauguins Atelier fotografiert. Das Foto schickte er an Daniel de Montfried, der die Farben zur Verfügung gestellt hatte.

Woher kommen wir? Wer sind wir? Wohin gehen wir?
1897; 139 x 375 cm; Boston, Museum of Fine Arts.
Das Bild hat einen bewußt symbolischen Gehalt und zeigt keine Szene aus der Realität. Gauguins Erklärung klingt geheimnisvoll: „Wohin gehen wir? Nahe zum Tod einer alten Frau. Ein eigenartiger einfacher Vogel bildet den Abschluß. Wer sind wir? Weltliche Existenz. Der instinktmäßige Mensch fragt sich, was all dies bedeutet. … Bekannte Symbole würden das Bild zu einer melancholischen Realität erstarren lassen, und das aufgezeigte Problem wäre kein Gedicht mehr."

STUDIE MIT QUADRATNETZ
Gauguin behauptete, er habe für sein philosophisches Meisterwerk keine Vorbereitungen getroffen, sondern es aus dem Gefühl heraus gemalt. Doch diese Zeichnung auf Pauspapier, auf das Quadrate zur Übertragung auf ein größeres Format eingezeichnet sind, spricht dagegen. Offensichtlich handelt es sich um eine vorbereitende Studie, die er später einem Freund als Andenken schenkte, wie die Inschrift besagt.

Die Inschrift lautet: „Diese blasse Skizze an ... in Erinnerung an eine Freundschaft."

Gauguin verwendete einen braunen Farbstift und blaue Aquarellfarbe.

Der arme Fischer
Pierre Puvis de Chavannes, 1881; 155 x 192 cm; Paris, Musée d'Orsay.
Gauguin hatte eine Reproduktion dieses Bildes mit nach Tahiti genommen. Zwischen den Säuglingen auf beiden Bildern scheint eine Ähnlichkeit zu bestehen.

SYMBOLISCHE FIGUREN
Das Bild muß, wie die östlichen Schriften, von rechts nach links gelesen werden. Ein Säugling verkörpert den Anfang des Lebens, eine alte Frau wartet auf das Ende. Gauguin zufolge stellt das Idol (oben links) nicht eine tahitische Göttin dar, sondern eine Frau, die zu einem Idol wird und zum Himmel weist.

MYTHOS UND GEHEIMNIS
Das Werk ist bewußt geheimnisvoll, dennoch sind wichtige Aspekte der Gedankenwelt Gauguins erkennbar, etwa die Faszination durch religiöse Riten. Die Landschaft ist der Garten Eden mit dem Baum der Erkenntnis. Die in ein Gespräch versunkenen Figuren verkörpern die Rationalität.

FRAGEN UND ANTWORTEN
Trotz der Verwendung düsterer Ockertöne und dunkler harmonischer Blautöne und trotz der mehrdeutigen Symbolik hoffte Gauguin, einen eindringlichen „musikalischen" Effekt zu erzielen. Der Betrachter muß mit Hilfe seiner Phantasie Antworten auf die Fragen finden, die der Titel aufwirft.

Barbarischer Luxus

DIE UNVERBLÜMTE OFFENHEIT der Aktbilder Gauguins konnte von seinem Publikum akzeptiert werden, weil die Tahitier im Ruf sexueller Freizügigkeit standen und der Künstler gleichsam als Augenzeuge auftrat. Das geschwungene Kopfteil des Bettes und die phantasievollen dekorativen Motive des Raumes verstärken die rauschhafte Atmosphäre des Bildes. In einem Brief an Daniel de Montfried schrieb Gauguin: „Durch einen einfachen Akt wollte ich einen gewissen barbarischen Luxus des Altertums wiedergeben. Das Bild ist erfüllt von Farben, die bewußt düster und traurig gehalten sind. Weder Samt noch Seide, Musselin oder Gold bewirken diesen Luxus, sondern nur das Material, das durch die Hand des Künstlers kostbar gemacht wurde."

DIE FARBPALETTE DES KÜNSTLERS
Die hellen, matten Farben der früheren Tahiti-Bilder Gauguins werden im Spätwerk durch vollere, dunklere Farbtöne ersetzt.

EINE VERBORGENE LANDSCHAFT
Diese Röntgenaufnahme von *Nevermore* macht eine ältere, horizontal verlaufende Landschaft mit Figuren sichtbar. Gauguin übermalte sie dick mit weißer Farbe. Dies erklärt das Fehlen der Leinwandtextur, die in Gauguins Ölbildern meist erkennbar ist.

Nevermore
1897; 59,5 x 117 cm; London, Courtauld Institute Galleries.
Der englische Bildtitel in der linken oberen Ecke stammt aus „The Raven", einem Gedicht des bei den Symbolisten sehr beliebten Schriftstellers Edgar Allen Poe. Er bezieht sich auf den schwermütigen Refrain: „Sprach der Rabe ‚Nimmermehr'". Der blinde und räuberische Vogel in diesem Bild ist ein Vogel des Todes.

Bleituben für Ölfarbe

FARBTUBEN
Gauguin schrieb immer wieder über seine Probleme mit der regelmäßigen Lieferung von Ölfarben. In den Tropen trocknet die Farbe schnell, und er mußte daher sehr zügig arbeiten. In einem Brief an den Kunsthändler Vollard, der ihn auch mit Farben versorgte, schrieb Gauguin: „Jetzt, wo ich in der Stimmung zum Arbeiten bin, werde ich Farben einfach verschlingen. Kaufen Sie daher Lefrancs Malerfarben. Sie kosten nur ein Drittel und sind viel besser."

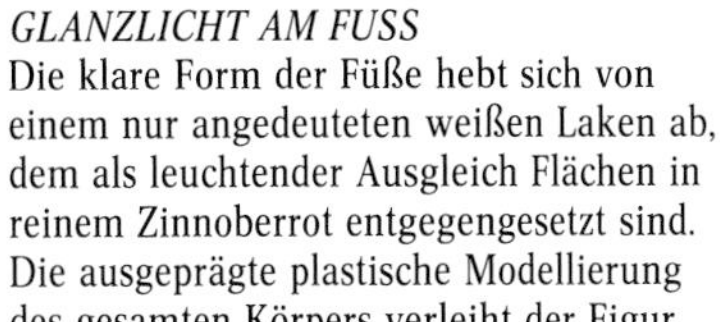

GLANZLICHT AM FUSS
Die klare Form der Füße hebt sich von einem nur angedeuteten weißen Laken ab, dem als leuchtender Ausgleich Flächen in reinem Zinnoberrot entgegengesetzt sind. Die ausgeprägte plastische Modellierung des gesamten Körpers verleiht der Figur trotz der flachen, zweidimensionalen Bildebene und der deutlichen Umrißlinien den Eindruck von greifbarer Wirklichkeit.

EIN BLINDER VOGEL
Der blau, grün und violett gemalte Vogel ist nicht nur ein schmückendes Detail. Gauguin interpretierte den blinden Vogel als „Vogel des Todes“. Seine Anwesenheit hat etwas Beunruhigendes.

Der Umgang mit Licht und Schatten erinnert an Gauguins Bretagne-Bilder.

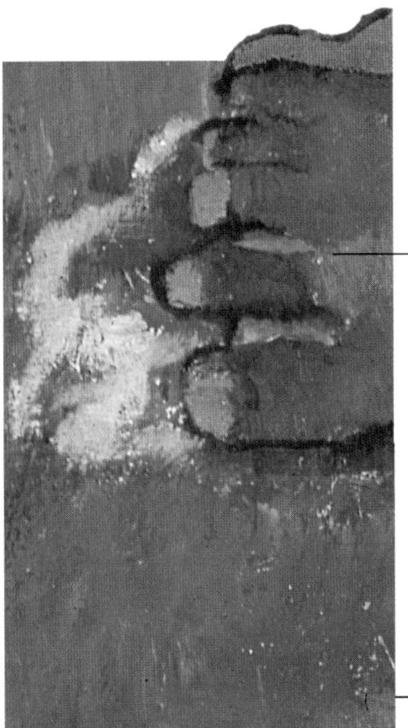

Gauguin mischte seine Farben mit Wachs, um eine glatte Oberfläche zu erzielen.

Bei dem naß-in-naß gemalten Bild konnten benachbarte Farbflächen gleichzeitig bearbeitet werden.

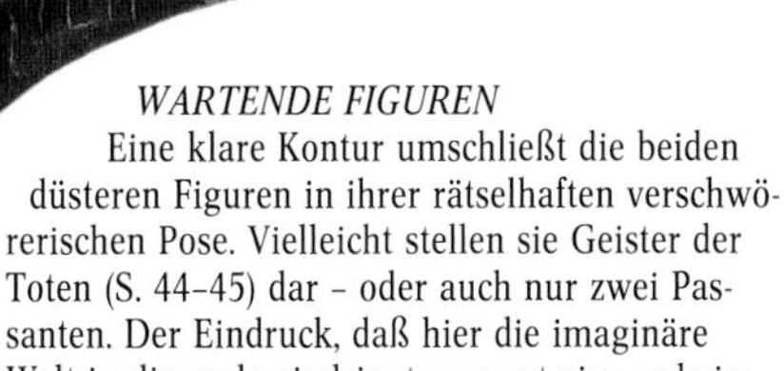

WARTENDE FIGUREN
Eine klare Kontur umschließt die beiden düsteren Figuren in ihrer rätselhaften verschwörerischen Pose. Vielleicht stellen sie Geister der Toten (S. 44–45) dar – oder auch nur zwei Passanten. Der Eindruck, daß hier die imaginäre Welt in die reale eindringt, erzeugt eine unheimliche Atmosphäre. Während sich die beiden düsteren Figuren anscheinend im vollen Tageslicht unterhalten, herrscht im Inneren eine nächtliche Stimmung.

Der Blick ist vom Betrachter abgewendet.

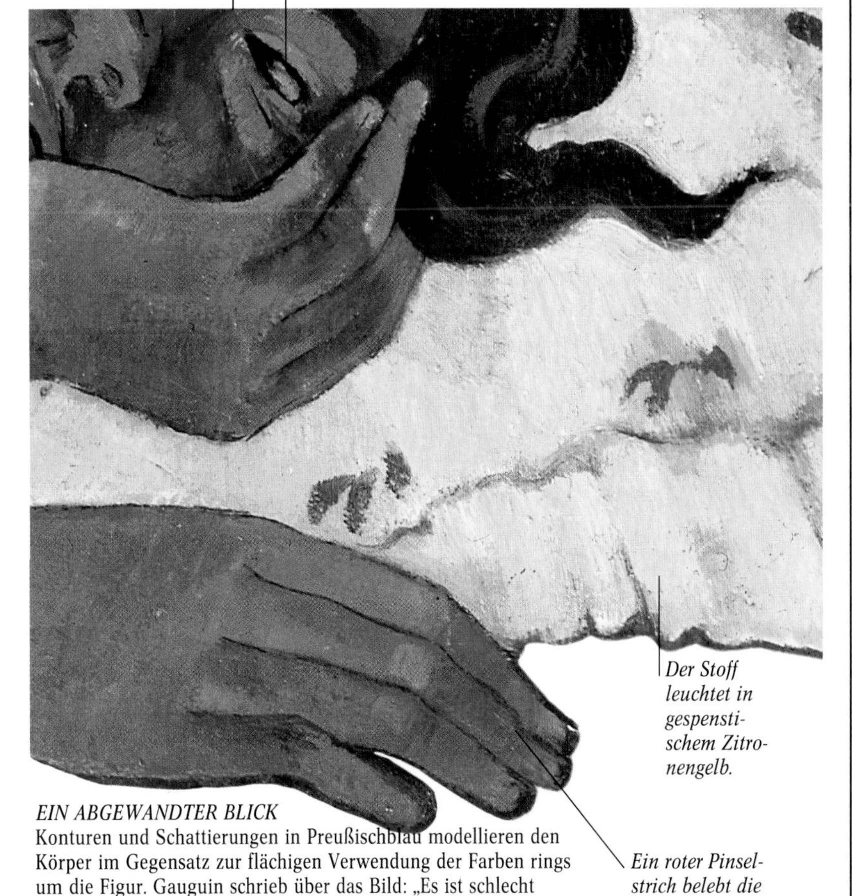

Der Stoff leuchtet in gespenstischem Zitronengelb.

EIN ABGEWANDTER BLICK
Konturen und Schattierungen in Preußischblau modellieren den Körper im Gegensatz zur flächigen Verwendung der Farben rings um die Figur. Gauguin schrieb über das Bild: „Es ist schlecht gemalt (ich bin sehr nervös und arbeite nur schubweise), doch das macht nichts; ich denke, es ist ein gutes Bild.“

Ein roter Pinselstrich belebt die gedämpften Farbtöne.

Die letzten Jahre

SKIZZE EINES NACHBARN
Diesen Plan des „Hauses der Wonne“ zeichnete Gauguins einheimischer Nachbar Tioka, der auch beim Hausbau mithalf.

IM SEPTEMBER 1901 kam Gauguin in Hiva-oa an. Das Eiland gehört zu den Marquesas-Inseln, die zu den abgelegensten Inseln der Welt zählen. Er kehrte nie wieder in die Heimat zurück. Trotz einer bedrohlichen Entzündung der Augen und fortwährender Krankheit scheint dieser letzte Umzug seine schöpferischen Kräfte neu belebt zu haben. Er gab sich als guter Katholik, kaufte in Atuona ein Stück Land und baute mit Hilfe der Nachbarn sein „Haus der Wonne“. Unter den Eingeborenen war er beliebt, weil er sich für den gerechten Umgang der Einwanderer mit der einheimischen Bevölkerung einsetzte. Immer noch kämpfte er im Leben und in der Kunst für seine Ideale und schrieb an einen Freund in Paris: „Wenn wir gewinnen, habe ich etwas Großes auf den Marquesas-Inseln erreicht. Viele Ungerechtigkeiten werden ein Ende haben, und das wird genug Entschädigung für alle Anstrengungen sein.“

Türrahmen
Paris, Musée d'Orsay.
Gauguins 1902 erbautes „Haus der Wonne“ enthielt sein letztes großes dekoratives Werk. Zu ebener Erde befanden sich die öffentlich zugänglichen Räume. Im Obergeschoß lagen Gauguins Privaträume und sein Atelier. In den Arbeitsbereich gelangte man nur durch das Schlafzimmer, das freimütig mit erotischen Motiven ausgeschmückt war. Die verzierten Türrahmen befanden sich an den Eingängen zum Schlafzimmer und zum Atelier und machten deutlich, daß sich hier das eigentliche „Haus der Wonne“ befand.

TÄTOWIERWERKZEUGE
Auf den Marquesas-Inseln war das Tätowieren ein alter Brauch. Man tauchte Kämme in einen blauen Farbstoff, der durch Verbrennen von Kerzennüssen gewonnen wurde. Die Zähne des Kamms wurden in die Haut eingestochen und auf diese Weise Muster gezeichnet.

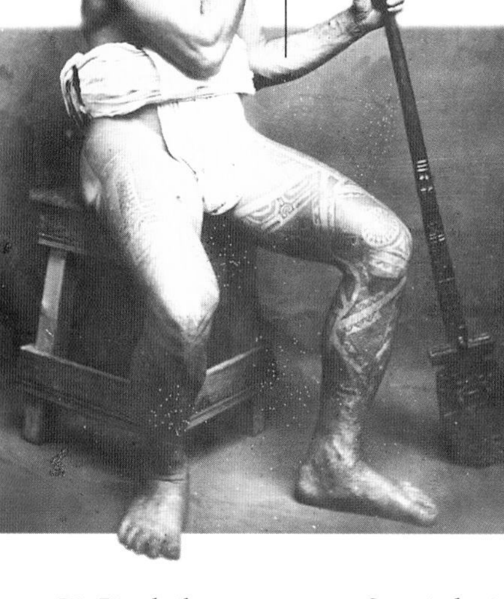

Bei Männern konnte der gesamte Körper mit Tätowierungen versehen sein, bei Frauen nur Gesäß und Hände.

DER TÄTOWIERTE HÄUPTLING
Gauguin war von den tätowierten Männern auf den Marquesas-Inseln fasziniert. Dieses Foto zeigt einen Häuptling in der vollen Pracht seiner Tätowierung. Die Inseln wurden erst sehr spät kolonialisiert, und die Einheimischen standen im Ruf, Kannibalen zu sein.

Die Einzelteile wurden aus Redwood geschnitzt und dann bemalt.

Gauguin kopierte diese Köpfe nach Bildern aus dieser Schaffensperiode.

Eine seiner Devisen lautete: „Seid geheimnisvoll!“ (S. 35).

BISCHOF MARTIN
Gauguins künstlerische Arbeit und sonstige Aktivitäten waren für die Kolonialgemeinde ein Ärgernis. Der Bischof, der Gauguin das Grundstück verkauft hatte, verfolgte den Künstler, der seinen unbürgerlichen Lebensstil offen zur Schau trug, mit seinem Zorn.

MODELL UND GELIEBTE
Dieses Foto (um 1902) stellt die rothaarige Tohutua dar, die für Gauguin in seinen letzten Jahren Modell saß (S. 61). An den Wänden befinden sich einige der Reproduktionen, die er aus Paris mitgebracht hatte, darunter Holbeins Bildnis seiner Frau und seiner beiden ältesten Kinder (1528; Basel). Da Gauguin unter akuter Syphillis litt, fand er nur schwer junge Mädchen, die bereit waren, sein Bett zu teilen. In sexueller Hinsicht benahm er sich in übelster kolonialistischer Weise.

Der Türsturz ist fast 2,5 m lang.

Der „Bischof" hat an den Teufel erinnernde Hörner.

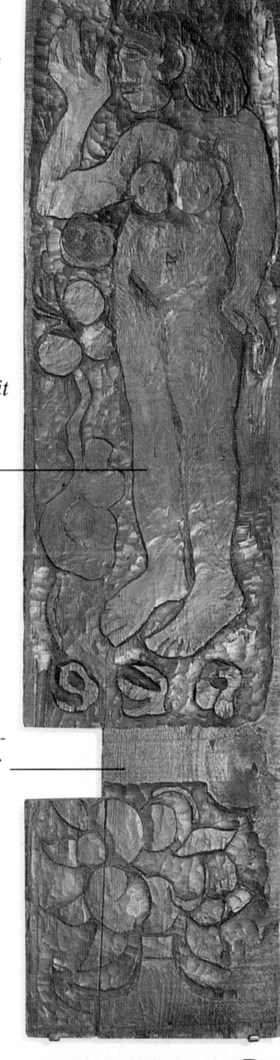

Die vertikalen Türpfosten sind mit zwei weiblichen Akten verziert.

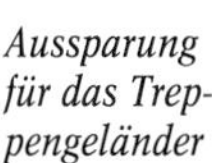

Aussparung für das Treppengeländer

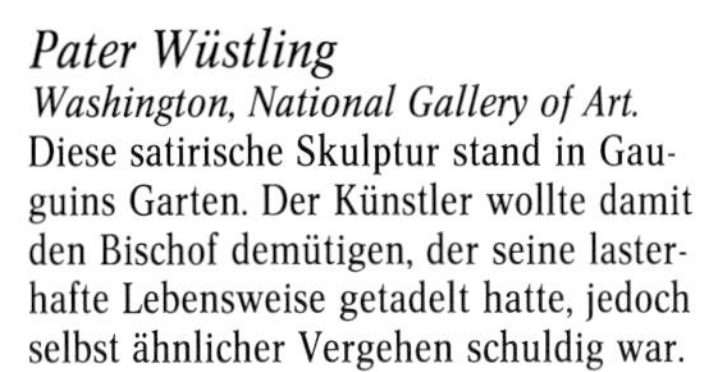

Pater Wüstling

Washington, National Gallery of Art.
Diese satirische Skulptur stand in Gauguins Garten. Der Künstler wollte damit den Bischof demütigen, der seine lasterhafte Lebensweise getadelt hatte, jedoch selbst ähnlicher Vergehen schuldig war.

Stilleben

1897; 73 x 93 cm; Paris, Musée Marmottan.
Dieses relativ große Stilleben ist auf sehr grobe Leinwand gemalt. Ihre Textur verstärkt den malerischen Reichtum des Bildes. Die Früchte links im Bild lassen den Einfluß Cézannes erkennen. Gauguin hatte dessen Stilleben *Fruchtschale, Glas und Apfel* besessen. Die exotischen Blumen sind in einer geschnitzten Holzschale angeordnet.

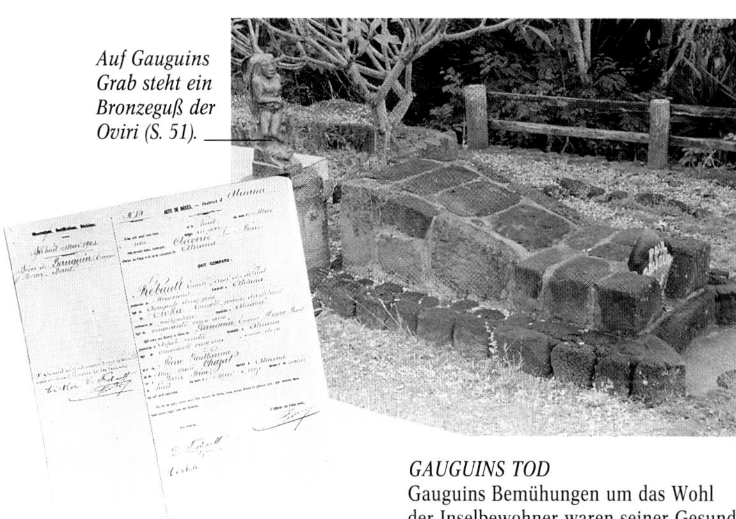

Auf Gauguins Grab steht ein Bronzeguß der Oviri (S. 51).

Gauguins Totenschein

GAUGUINS TOD
Gauguins Bemühungen um das Wohl der Inselbewohner waren seiner Gesundheit nicht zuträglich. Er stachelte die Einheimischen auf, keine Steuern zu bezahlen und ihre Kinder nicht in die katholische Schule zu schicken. Schließlich wurde er wegen Verleumdung des Gouverneurs zu Gefängnis verurteilt und schrieb an Montfried: „All diese Sorgen bringen mich um." Gauguin starb am 8. Mai 1903 vermutlich an einer Herzerkrankung. Er wurde auf dem katholischen Friedhof von Hueakihi beigesetzt.

Die Figuren und Gegenstände besitzen eine verborgene Symbolik.

Ein Lieblinssatz Gauguins, der besagt: „Liebt euch und ihr werdet glücklich sein."

Gauguins Vermächtnis

„SIE WISSEN SCHON seit langem, was ich versucht habe zu erreichen: das Recht, alles zu wagen." Gauguin starb im verhältnismäßig frühen Alter von 54 Jahren. Er hatte mit bemerkenswerter Energie gelebt und gearbeitet. Sein Kunsthändler Ambroise Vollard organisierte 1903, nur fünf Monate nach dem Tod des Künstlers, eine Ausstellung seiner Werke. 1906 fand eine große Retrospektive statt, die seinen späteren Ruhm begründete. Der Einfluß seiner „primitiven" Kunst, die sich gegen den am Natureindruck orientierten Impressionismus und den wissenschaftlich beeinflußten Neoimpressionismus richtete, machte sich schnell bemerkbar. Neben Cézanne und van Gogh wurde er zum Vorbild für die selbstbewußten Avantgarde-Künstler des frühen 20. Jahrhunderts. Gauguin, der leidende Künstler, das Opfer einer „zivilisierten Gesellschaft", wurde zu einem kulturellen Mythos unserer Zeit, zum Inbegriff des „romantischen Künstlers". Die reinen Farben, die geheimnisvolle Exotik und Tiefe seiner Werke waren für zahllose Künstler eine Quelle der Inspiration.

La Vie
Pablo Picasso, 1903; 197 x 129,5 cm; Cleveland, Museum of Art. Dieses rätselhafte Bild aus Picassos „Blauer Periode" (1901–04) erinnert an Gauguins symbolistische Werke. Picasso stellt durch archetypische Figuren – verzweifelte Paare, einsame Frau, Mutter mit Kind – eine Vision dar, die der Betrachter entschlüsseln muß. Picasso war von den Möglichkeiten der Kunst fasziniert, sich mit Fragen von Leben und Tod auseinanderzusetzen. In Gauguin sah er einen Künstler mit ähnlichen philosophischen Ambitionen.

PERSÖNLICHE TAGEBÜCHER (unten) Auch in seinen Schriften bestätigt Gauguin den Mythos vom Künstler als Außenseiter. Mit dem 1902 begonnene „Avant et Après" („Davor und danach") wollte Gauguin seine künstlerischen Überzeugungen erklären und Rechenschaft über sein Leben geben.

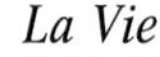

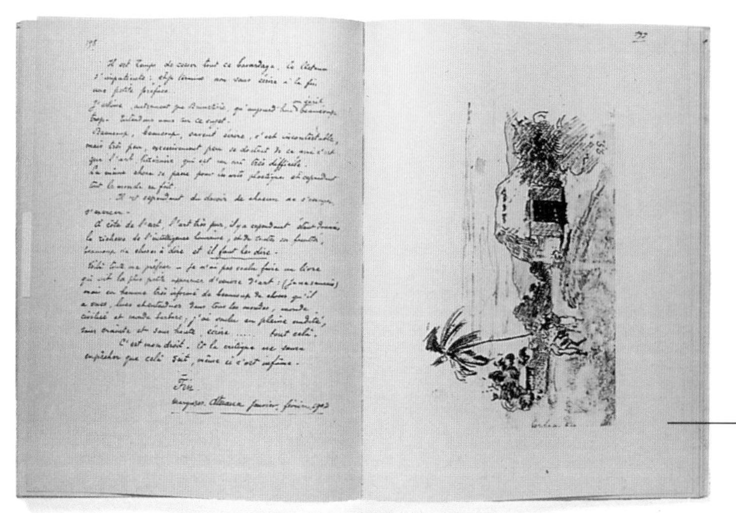

Gauguins letzter Eintrag befaßt sich mit der Frage: „Was ist Kunst?"

Das ist Gauguins letzte schriftliche Äußerung. Sie trägt das Datum Februar 1903, Marquesas, Atuana.

Eine Faksimile-Ausgabe von Avant et Après

Le Luxe, I
Henri Matisse, 1907; 201 x 138 cm; Paris, Musée d'Orsay. Die Begrenzung der Farbflächen durch Linien geht auf sorgfältige Studien von Gauguins Malweise zurück. Dieser idyllischen Ansicht von drei Frauen fehlen jedoch die düsteren Aspekte, die in Gauguins späten Werken häufig anzutreffen sind. Wie Gauguin arbeitete Matisse mit vielen verschiedenen Materialien und schöpfte seine Ideen aus zahlreichen Quellen.

Contes Barbares
1902; 131,5 x 90,5 cm; Essen, Museum Folkwang.
Dieses späte Bild spiegelt Gauguins Überzeugung wider: „Primitive Kunst kommt aus dem Geist und bedient sich der Natur." Die Figuren verkörpern vielleicht den Osten, den Westen und Polynesien, den Gegensatz zwischen Zivilisation und einem Leben in der Natur. Dem Bild wohnt eine große emotionale Kraft inne, doch Gauguin überläßt die Auslegung der Symbole dem Betrachter.

TEUFEL-MANN
Meyer de Haan, Gauguins Freund aus Le Pouldu, erscheint hier als zwielichtige, einem Teufel ähnliche Gestalt mit Klauen an den Füßen. Auch die tückischen Gesichtszüge sind Teil der Fremdheit dieses europäischen Eindringlings, der ein Missionarsgewand zu tragen scheint.

STILISIERTE GESICHTER
Der schlichte Ausdruck der Frauen steht im Gegensatz zu dem verbissenen Brüten des Mannes. Die linke Bildhälfte wird von dem wie hypnotisiert starrenden Meyer de Haan beherrscht. Die ins Leere blickende mittlere Figur und die träumerisch anmutende Tohotua rechts strahlen Ruhe aus.

DUFTENDE NÄCHTE
Das ungewöhnliche Rot der Haare Tohotuas erscheint auch in der männlichen Figur und im Ohrschmuck des im Lotussitz sitzenden Mädchens. Die im übrigen Bild vorherrschenden Blau- und Violettöne beschwören die Schönheit einer tahitischen Nacht herauf. Die Blumen um die Figuren erinnern an den schweren Blütenduft dieser Nächte.

MÄRCHEN
Der Titel unten rechts, *Contes Barbares*, ist schwierig zu deuten. *Conte* bedeutet „Märchen". Manchmal werden die Frauen als Märchenerzählerinnen interpretiert, die Geschichten von mythischer Wahrheit erfinden. Doch diese Deutung läßt sich aus dem Bild nicht schlüssig ableiten.

Lebensdaten

1848 Am 7. Juni wird Eugène-Henri Paul Gauguin in Paris geboren; die Eltern sind Clovis Gauguin, ein Journalist aus Orléans, und Aline, seine peruanische Frau.

1849 Die Familie emigriert nach Peru; der Vater stirbt auf der Reise.

1854–55 Rückkehr nach Frankreich und Niederlassung in Orléans.

1856 Schulbesuch in Orléans.

1862 Besuch der Marineschule in Paris.

1865–67 Gauguin reist als Schiffsjunge um die Welt.

1867 Eintritt in die Handelsmarine. Tod der Mutter.

1868 Gauguin wird zum Militär eingezogen und dient als Seemann dritter Klasse auf der *Jérôme-Napoléon*.

1870 Beginn des Deutsch-Französischen Krieges; die *Jérôme-Napoléon* nimmt an Kriegshandlungen teil.

1871 Gauguins Vormund Arosa vermittelt eine Anstellung als Börsenmakler bei der Banque Bertin.

1872 Freundschaft mit Emile Schuffenecker.

1873 Heirat mit der Dänin Mette Gad; sie bringt in den nächsten zehn Jahren fünf Kinder zur Welt.

1874 Gauguin begegnet Camille Pissarro. Betätigt sich als Freizeitmaler und Bildhauer; sammelt Bilder der Impressionisten. Erste Gruppenausstellung der Impressionisten.

1880 Stellt auf der fünften Impressionisten-Ausstellung aus, ebenfalls auf den folgenden drei Ausstellungen (bis 1886).

1882 Der Aktienmarkt bricht zusammen, Gauguin verliert seine Arbeit.

1883 Er entscheidet sich für den Beruf des freien Künstlers.

1884 Umzug der Familie von Paris nach Rouen, dann nach Kopenhagen.

1885 Entfremdung von Mette. Gauguin kehrt nach Paris zurück.

1886 Malt in Pont-Aven und Le Pouldu in der Bretagne. Trifft Emile Bernard. Unter Anleitung von Ernest Chaplet in Paris entstehen Keramiken.

1887 Mette kommt nach Paris und nimmt mehrere Bilder mit nach Kopenhagen. Gauguin reist mit C. Laval nach Panama und Martinique. Kehrt, an Ruhr und Malaria erkrankt, nach Paris zurück. Theo van Gogh, bei Boussod und Valadon, wird sein Kunsthändler.

1888 Gauguin, Laval und Bernard arbeiten in Pont-Aven. Es entsteht *Die Vision nach der Predigt.* Ab Oktober arbeitet Gauguin mit Vincent van Gogh in Arles im „Gelben Haus". Verläßt Arles nach einem tätlichen Angriff durch Vincent.

1889 Pariser Weltausstellung. Wohnt bei Emile Schuffenecker. Beide organisieren die Ausstellung „Impressionniste et Synthétiste". Malt in Le Pouldu, erhält von Meyer de Haan Unterstützung; beide schmücken das von Marie Henry geführte Gasthaus aus.

1891 Ein lobender Artikel des Kritikers Albert Aurier über Gauguin erscheint. Er reist am 1. April von Frankreich nach Tahiti. Am 9. Juni Ankunft in Papeete.

1892 Gauguin zieht sich in einen abgelegeneren Teil der Insel zurück. Er malt die Frauen und die Landschaft Tahitis.

1893 Rückkehr nach Europa. Zwei Auktionen, eine im Hotel Drouot, sind finanziell ein Mißerfolg. Gauguin verfaßt und illustriert seine autobiographische Schrift „Noa Noa" (Erstveröffentlichung 1898 in der „Revue Blanche").

1894 Aufenthalt in der Bretagne. Verliert Rechtsstreit gegen Marie Henry, die seine Bilder aufbewahrt hatte, während er in Tahiti war. Modelliert in Chaplets Atelier seine Lieblingsskulptur *Oviri.*

1895 Rückkehr nach Tahiti. Läßt sich in Punaauia eine Hütte bauen.

1897 Gauguin leidet an sich verschlimmernder Syphilis, an Herzanfällen und Infektionskrankheiten. Als künstlerisches Vermächtnis entsteht *Woher kommen wir? Wer sind wir? Wohin gehen wir?*, danach Selbstmordversuch.

1898 Tätigkeit im Staatlichen Bauamt. Gauguin kann fast nicht mehr malen oder gehen.

1899 Gauguin mischt sich in die Politik der Insel ein und gründet die Flugschrift „Le Sourire" („Das Lächeln").

1900 Herausgeber des Satire-Journals „Les Guêpes" („Die Wespen").

1901 Gauguin läßt sich in Atuana auf der Marquesas-Insel Hiva-oa nieder, etwa 1300 km von Tahiti entfernt. Erhält von seinem Händler Vollard ein regelmäßiges Gehalt.

1902 Fehde mit Bischof Martin.

1903 Wegen Verleumdung des Gouverneurs angeklagt und zu drei Monaten Gefängnis verurteilt. Am 8. Mai stirbt Gauguin in Atuana. Das Inventar seines Haushalts wird öffentlich versteigert.

1903 Vollard veranstaltet eine Gauguin-Ausstellung.

1906 Eine Retrospektive von Gauguins Werken in Paris festigt seinen Ruf.

Aussicht von Gauguins Grab

Gauguin-Sammlungen

Im folgenden sind die Museen aufgeführt, die mehr als drei Gemälde von Gauguin besitzen.

NORD- UND SÜDAMERIKA

Boston, Museum of Fine Arts
Chicago, Art Institute of Chicago
Cleveland, Cleveland Museum of Art
New York, Metropolitan Museum of Art; Museum of Modern Art
San Antonio, Marion Koogler Mcnay Art Institute Museum
São Paulo, Museu de Arte
Washington DC, National Gallery of Art

EUROPA

Belgien
Brüssel, Musées Royaux des Beaux-Arts

Tschechoslowakei
Prag, Národní Galerie

Dänemark
Kopenhagen, Ny Carlsberg Glyptotek; Ordrupgaardsamlingen

Deutschland
Köln, Wallraf-Richartz-Museum
Essen, Museum Folkwang
München, Neue Pinakothek

Frankreich
Paris, Musée d'Orsay Saint-Germain-en-Laye, Musée Départemental du Prieuré

Niederlande
Amsterdam, Rijksmuseum Vincent van Gogh

Norwegen
Oslo, Nasjonalgalleriet

Rußland
Moskau, Puschkin-Museum
St. Petersburg, Eremitage

Schweden
Stockholm, Nationalmuseum

Schweiz
Basel, Kunstmuseum
Genf, Musée du Petit Palais
Zürich, Stiftung Sammlung E. G. Bührle

Großbritannien
Edinburgh, National Gallery of Scottland
Glasgow, The Burrell Collection
London, Courtauld Institute Galleries; Tate Gallery

ASIEN UND OZEANIEN

Französisch Polynesien
Tahiti, Musée Gauguin

Japan
Tokio, Bridgestone Museum of Art; National Museum of Western Art

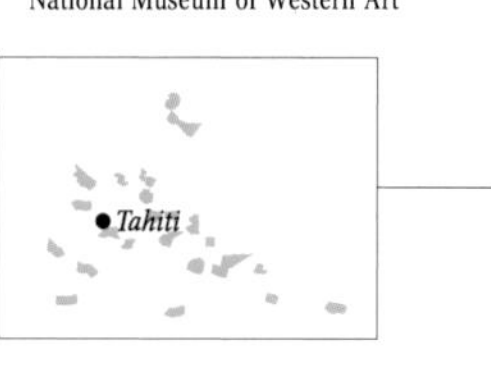

Fachbegriffe

Abstraktion Vereinfachung oder Verfremdung eines gegenständlichen Motivs bis hin zur gegenstandslosen Komposition aus Formen und Farben. Die Linien- und Flächenkunst Gauguins enthält die Tendenz zur Abstraktion, verbunden mit der symbolischen Verwendung von Farben. S. 19, 21, 22, 26, 47

Cloisonnismus Bezeichnung für einen Malstil, abgeleitet von der *Cloisonné-Technik* der Emailkunst, bei der metallene Stege oder *cloisons* zur Umgrenzung von Zellen dienen, die mit Emaille ausgegossen werden. Gauguin und Bernard umgaben auf vergleichbare Weise Farbflächen mit schwarzen Umrißlinien. S. 12, 21

Cloisonné-Effekt

Dekorative Kunst Im weitesten Sinne die Gesamtheit aller künstlerischen Gestaltungsformen, die einen Schmuckwert besitzen. Die heute übliche Unterscheidung und Rangordnung zwischen „selbständiger" und „angewandter" (dekorativer) Kunst ist erst eine Folge der kunstgeschichtlichen Entwicklung seit Beginn des 20. Jahrhunderts, ausgehend von der Auffassung der Kunst als „zweckfrei". Im Hinblick auf Gauguin bezeichnet „dekorativ" die Betonung der Bildfläche im Unterschied zum illusionistischen Eindruck von Plastizität und Räumlichkeit.

Grundierung Beschichtung der Leinwand als Vorbereitung für den Malvorgang. Eine dünne Grundierung kann dazu dienen, daß die Textur der Leinwand sichtbar bleibt. S. 33, 59

Holzschnitt Druckgraphische Technik mit einer reliefartig bearbeiteten Holzplatte als Druckstock. Nach der zunehmenden Verfeinerung des Holzschnitts bis hin zum malerischen Holzstich erneuerten Künstler wie Gauguin und Edvard Munch sowie die Expressionisten (E. L. Kirchner, Ernst Hechel) die ursprüngliche Ausdruckskraft des Holzschnitts als Linien- und Flächenkunst, vielfach unter Einbeziehung der Maserung als Gestaltungsmittel. Zuvor schon hat die japanische Kunst des Farbholzschnitts wesentlichen Einfluß auf die europäische Druckgraphik, aber auch auf die Malerei ausgeübt. S. 22, 40, 44, 48, 49

Impressionismus Die Wiedergabe sinnlicher Eindrücke. Betont wird ihre Flüchtigkeit unter den Bedingungen des ständig wechselnden Zusammenspiels von Licht und Farbe, Bewegung und Form. Die erstmals 1874 als „Impressionisten" bezeichneten Maler veranstalteten bis 1886 in Paris acht Gruppenausstellungen. S. 8, 9, 10, 12, 13, 14, 17, 18, 22, 27, 28, 32, 60, 62

Keramische Skulptur Von Gauguin für seine keramischen Arbeiten verwendeter Begriff, der deutlich macht, welchen hohen künstlerischen Stellenwert er ihnen beimaß. S. 11, 27, 36, 51

Nabis (hebräisch: „Propheten") Bezeichnung für eine Gruppe mystischer Maler, die durch Gauguin beeinflußt war. Zu ihr gehörten Sérusier, Denis, Bonnard und Vuillard. Bezeichnend für ihre Werke ist die symbolische Verwendung von Farben und die von starken Umrißlinien eingefaßten Flächenmuster. S. 21, 37

Neoimpressionismus Durch den *Pointillismus* gekennzeichnete Weiterentwicklung des Impressionismus, vertreten durch Seurat, Signac und vorübergehend durch Pissarro. S. 12, 13, 21, 60

Palette Platte (mit Daumenloch), auf der die Farben aufgesetzt und gemischt werden. Im übertragenen Sinne bezeichnet „Palette" die Farbskala eines Gemäldes oder die für das Schaffen eines Malers kennzeichnende Farbgebung. S. 18, 32, 46, 50, 56

pastos Farbauftrag in der Ölmalerei mit Pinsel oder Spachtel, der die Farbmasse „teigig" (ital. *pastos*) verwendet. Pastose Malweise erzeugt – im Unterschied zur „vertreibenden" Malweise – eine reliefartige Oberfläche, in der die Gesten der Pinsel- oder Spachtelführung erkennbar bleiben. S. 47

Pointillismus Eine „wissenschaftliche" Malweise, bei der sich das Bild aus Tupfen von reinen Farben zusammensetzt, die sich erst im Auge mischen. Der wichtigste Vertreter dieser Richtung war Georges Seurat. S. 9, 12, 21

präkolumbisch Die Zeit vor der Ankunft der Europäer auf dem amerikanischen Kontinent. S. 7, 32

Primitivismus In der Kunst des späten 19. und frühen 20. Jahrhunderts bewußte Abwendung von der abendländischen Tradition zugunsten einer neuen „Ursprünglichkeit", die von der Begegnung mit der Kultur „primitiver" Völker (Naturvölker) erwartet wurde. Dieser von Gauguin wesentlich beeinflußte Primitivismus knüpfte in gewisser Weise an den Orientalismus der Romantik und den Japonismus der 70er/80er Jahre an und bezog auch die Hinwendung zu „archaischen" Gesellschaftsgruppen wie die Landbevölkerung ein. S. 10, 28, 33, 40, 42 ff., 60

Radierung Bei dieser druckgraphischen Technik wird die Zeichnung mit Säure in eine Metallplatte (meist Kupfer) geätzt, dann eingefärbt und gedruckt. S. 36

Symbolismus Abkehr von der bloßen Wiedergabe der sinnlichen Wahrnehmung. Stattdessen soll die Kunst „ihre eigenen Geheimnisse" (Mallarmé) zelebrieren. Der Dichter Jean Moréas nannte als Ziel, „die Vorstellung in sinnhafte Form zu kleiden". In seiner Gestaltungsweise besitzt der Symbolismus vielfach Gemeinsamkeiten mit dem Jugendstil (frz. Art Nouveau). S. 22, 36, 46, 54

Zinkographie Form der Radierung, bei der statt Kupfer Zink verwendet wird. Kennzeichnend ist die körnige Struktur der Tonflächen. S. 16, 20, 21, 28, 29

Ländliche Szenerie auf Martinique, eine Zinkographie

Die Standorte der abgebildeten Werke Gauguins

Register

Bildquellen, Bildrechte